D0626471

ro
ro
ro

DER GEHEIME TUNNEL

Band 7

Mit Illustrationen
von Barbara Korthues

Olaf Fritsche

Knappe Landung
auf dem Mond

Rowohlt Taschenbuch Verlag

«DER GEHEIME TUNNEL» BEI ROTFUCHS

**In diesem Band findet ihr die Spielanleitung
für das Kartenspiel zum «Geheimen Tunnel».
Ihr benötigt dazu möglichst viele Sammelkarten
aus den bisher erschienenen Bänden.**

Originalausgabe
Veröffentlicht im Rowohlt Taschenbuch Verlag,
Reinbek bei Hamburg, Juni 2009
Copyright © 2009 by Rowohlt Verlag GmbH,
Reinbek bei Hamburg
Lektorat Marie-Ann Geißler
Umschlag- und Innenillustrationen Barbara Korthues
Umschlaggestaltung any.way, Barbara Hanke/Cordula Schmidt
Satz Excelsior PostScript (InDesign)
bei KCS, Buchholz bei Hamburg
Druck und Bindung CPI – Clausen & Bosse, Leck
Printed in Germany
ISBN 978 3 499 21510 0

Inhalt

Ein Fahrzeug für Entdecker

«UUUUAAAAAA...»

Schreiend wirbelte Albert durch die Luft. Dann landete er der Länge nach auf einem Stapel von Matratzen. Staub wirbelte auf und hüllte ihn in eine trübe graue Wolke. Nicht zum ersten Mal. Schon seit dem frühen Morgen experimentierten er und sein Freund Magnus an einem neuen Rollstuhl für Albert herum. Einer selbstgebastelten Spezialanfertigung, wie es sie nirgendwo zu kaufen gab. Keine leichte Aufgabe. Vor allem, wenn man bedachte, dass die beiden erst zehn Jahre alt waren. Doch es gab einen besonderen Grund dafür, dass sie diesen Rollstuhl auf eigene Faust entwickeln wollten. Oder eigentlich sogar zwei Gründe. Erstens schraubte und feilte Magnus für sein Leben gern an allen möglichen Dingen herum. Und zweitens war der Rollstuhl Teil eines Geheimprojekts. Mit ihm wollte Albert nämlich nicht einfach nur durch die Stadt fahren, Basketball spielen oder am Strand durch den Sand rollen. Nein, sein Ziel waren Abenteuer. Abenteuer, wie sie gewöhnliche Menschen in ihrem ganzen Leben nicht bestehen müssen. Albert wollte mit seinem neuen Gefährt direkt in die Vergangenheit reisen. In längst zurückliegende Zeiten voller offener Fragen und Rätsel.

Vorausgesetzt, Magnus und er würden endlich die vielen kleinen Macken in den Griff bekommen, die ihre Entwicklung im Moment noch hatte.

«Ich glaube, die Feder ist zu stramm gespannt», sagte Magnus und kratzte sich mit einem Schraubenzieher hinter dem linken Ohr. Quer über sein Gesicht zogen sich ölige Schmierstreifen. «Der Faltmechanismus ist schon wieder von selbst losgegangen.»

«Das hab ich gemerkt», ächzte Albert. Er drehte sich auf dem Matratzenstapel um und schob sich mit den Händen zurück zum Rollstuhl. Seit einem Verkehrsunfall vor ein paar Jahren konnte er seine Beine nicht mehr bewegen. Mit Hilfe von Magnus zog er sich auf die Sitzfläche. «Also lockern wir die Feder ein bisschen und probieren es nochmal», meinte er verbissen.

«Wollen wir nicht lieber vorher eine Pause machen?», fragte Magnus vorsichtig nach. «Du bist in den letzten Minuten mehr durch die Gegend geflogen als Superman in einem ganzen Monat.»

«Kommt nicht in die Tüte!», wiegelte Albert sofort ab. «Erst, wenn wir diesen verfluchten Spezialrollstuhl gebändigt haben, kann ich mit euch durch den geheimen Tunnel. Also drehen wir so lange an den Einstellungen herum, bis er mich nicht mehr als Wurfgeschoss benutzt!»

Magnus seufzte. Irgendwie konnte er Albert verstehen. Er selbst war zusammen mit ihrer gemeinsamen Freundin Lilly schon mehrfach in der Vergangenheit gewesen. Sie waren mit dem Maler und Erfinder Leonardo da Vinci von einem Steilhang gesegelt, hatten den Schatz von Troja entdeckt, waren mit Kolumbus nach Amerika gefahren, hatten einen schwarzen Ritter kennengelernt und bei den alten Olympischen Spielen zugesehen. Seit kurzem hatte Magnus sogar einen waschechten Indianernamen: Schüttelnde Hand. Den hatte er sich beim Stamm der Lakota verdient, als Lilly und er im Amerika des 19. Jahrhunderts gewesen waren.

Doch bei all diesen Abenteuern war Albert nicht dabei gewesen. Denn der Weg in die Vergangenheit führte durch einen Tunnel, den die drei erst vor einiger Zeit entdeckt hatten. Sein Eingang lag im Keller der alten Villa, in der Albert und sein Vater wohnten. Und blöderweise war dieser Eingang zu eng für Alberts normalen Rollstuhl. Deshalb musste er jedes Mal alleine im Keller zurückbleiben und aufpassen. Kein Wunder also, dass er so fest entschlossen war, endlich auch einmal mitzukommen in das Damals. Und dafür brauchte er eben einen Rollstuhl, der sich auf Knopfdruck ganz schmal machen konnte.

«Es könnte auch an der Verzögerungsschaltung liegen», überlegte Magnus. Er kniete sich hinter den Stuhl, griff einen Schraubenschlüssel und drehte eine Mutter halb herum. «Probier es jetzt mal!»

Albert schloss vorsichtshalber die Augen. Er drückte den Knopf, und – Klack! – nichts passierte.

«Hmm, das war wohl nicht riiIIIIIHHHHH...»

Erneut landete er auf den Matratzen. Nur diesmal um ein paar Sekunden verzögert. Magnus schaute ihm nach.

«Nee, das war es wohl auch nicht», stellte er frustriert fest. «Vielleicht wäre es einfacher, wenn wir versuchen, einen Trank zu brauen, der dir Federn wachsen lässt?»

«Gar nicht komisch!», knurrte Albert, doch er grinste dabei. «Fliegen ist etwas für echte Vögel. Oder was meinst du, Merlin?»

Vom Tunneleingang her kam eine Dohle angeflogen und setzte sich auf Alberts Schulter. Merlin war als Küken aus dem Nest gefallen, und Albert hatte ihn liebevoll aufgepäppelt. Seitdem blieb der Vogel freiwillig bei

ihm und seinen Freunden und machte während der
Zeitreisen sogar Botenflüge zwischen dem Damals
und dem Jetzt. Misstrauisch beäugte er nun den bo-
ckenden Rollstuhl.

«Na, funktioniert es inzwischen? Oder spielt ihr immer noch Steinschleuder und lebende Kanonenkugel?», fragte eine Stimme aus dem Tunnel.

Lilly kam in den Keller gehüpft. Sie war wie immer ein wenig zappelig, sodass ihr rotblonder Pferdeschwanz lustig auf und ab wippte. Normalerweise trug sie die Haare offen, doch diese Veränderung war nichts im Vergleich dazu, wie sie angezogen war. Lilly hatte nämlich einen Rock an. Und das war in etwa so ungewöhnlich wie ein Gorilla mit Zahnspange, der in der Fußgängerzone Geige spielte. Lilly hasste Röcke und alle anderen Dinge, die sie vom Herumtoben abhalten konnten. Deshalb gab es nur eine Gelegenheit, zu der sie sich freiwillig in einen Rock oder ein Kleid zwängte, und das war eine Zeitreise. Denn Mädchen und Frauen durften blöderweise fast die gesamte Menschheitsgeschichte hindurch keine Hosen tragen. Wer dagegen verstieß, konnte ziemlichen Ärger bekommen. Und Ärger war das Letzte, was man sich in einer fremden Zeit einhandeln sollte.

«Oh, schon wieder da?», fragte Magnus überflüssigerweise. «Ihr seid doch gerade erst losgegangen.»

«Na, das kommt, weil die Zeit im Damals schneller vergeht als im Jetzt», erklärte Lilly. «Du weißt doch: Eine Stunde hier ist ein Tag im Früher. Und wir waren gute zwei Stunden drüben. Das sind dann also hier …» Sie legte die Stirn in angestrengte Rechenfalten.

«… fünf Minuten», rettete Albert sie aus der Verlegenheit. Er war der kluge Kopf im Team. Und außerdem hatte er reichlich Erfahrung darin, den Zeitunterschied zwischen Damals und Heute blitzschnell zu berechnen. Schließlich musste er als Wachposten im Keller bislang bei jedem Abenteuer damit zurechtkommen. Auch wenn er keine Ahnung hatte, warum die Zeit im Früher so davonraste. Jedenfalls war das ungeheuer praktisch, denn dadurch konnten Lilly und Magnus beruhigt eine ganze Woche in der Vergangenheit verbringen und trotzdem rechtzeitig zum Abendessen zu Hause sein. Und wenn sie ihren Eltern erzählten, dass sie bei Albert übernachteten, blieb ihnen sogar ein guter Monat Zeit.

«Und Tante Amelie?», wollte Albert wissen. Seine Stimme klang ein wenig besorgt. Merlin, Lilly und seine Tante waren vor wenigen Minuten zu dritt in den Tunnel gegangen, um ihr Ziel für das nächste Abenteuer ein wenig auszukundschaften. Aber bis jetzt waren nur Lilly und die Dohle zurückgekehrt. «Wo ist die denn abgeblieben? Hat sie etwa Schwierigkeiten?»

Lilly zog eine beleidigte Miene, die sagen sollte: «Meinst du, ich hätte sie dann im Stich gelassen und wäre abgehauen?» Sie und Magnus hatten in der Vergangenheit schon so manche knifflige Situation erlebt und immer fest zusammengehalten.

«Tante Amelie ist …», begann sie.

«… nicht mehr ganz so jung wie ihr», japste eine

zweite Stimme aus dem Tunnel. Albert und Magnus wandten den Blick zum Eingang und sahen, wie eine hübsche kleine Frau mit wirren Haaren heraustrat und sich die Seiten hielt. «Wir haben einen Wettlauf gemacht», keuchte Tante Amelie. «Und ich fürchte, bei mir hat es nur für den zweiten Platz gereicht.»

Sie ließ sich auf eine Kiste plumpsen, von denen mehrere im Kellerraum herumstanden. Außerdem gab es dort jede Menge Regale, die mit Kisten und Kartons vollgestellt waren, einen großen Tisch, auf dem ein Computer, Geschichtsbücher und ein Weltatlas lagen, und ein zusammengefaltetes Klappbett.

«Meine Güte, so erledigt war ich nicht mehr, seit mir ein Affe auf Borneo den Fotoapparat geklaut hat und ich ihm durch den halben Dschungel gefolgt bin», gestand Tante Amelie. Lilly zuckte lächelnd die Schultern. Laufen war sozusagen ihre Spezialität. Selbst einen guttrainierten Indianerjungen hatte sie dabei schon einmal abgehängt.

«Jedenfalls ist auf der anderen Seite des Tunnels alles klar», sagte sie und steckte sich einen Kirschbonbon in den Mund. «Wenn ihr so weit seid, kann es jederzeit losgehen.»

Albert und Magnus tauschten einen kurzen Blick.

«Wir ... wir sind noch nicht ganz fertig», grummelte Albert.

«So ein paar kleinere Justierarbeiten sind noch zu machen», gab Magnus zu.

«Sollten wir dann nicht einfach einen Blick in

das Labor deines Vaters ...», schlug Tante Amelie vor. Aber Albert, Magnus und Lilly fielen ihr augenblicklich ins Wort.

«Auf keinen Fall!», riefen sie im Chor.

Sie hatten bereits ausgiebig Erfahrungen mit den Sachen aus dem Labor von Alberts Vater gemacht. Der war von Beruf Erfinder und demonstrierte den Kindern mit Vorliebe seine allerneuesten Entwicklungen. Manche davon waren ausgesprochen genial. Vor allem der Universalübersetzer, den man sich ins Ohr steckte und dann jede Sprache der Welt sprechen und verstehen konnte. Mit seiner Hilfe konnten sie sich auf ihren Zeitreisen mit allen Menschen unterhalten. Andere Erfindungen dagegen waren eher seltsam oder sogar völlig verrückt. Beispielsweise der radargesteuerte Nasenbohrer für Nashörner. Alberts Vater hatte ihn bisher nicht einmal testen können, weil der Zoodirektor ihm partout nicht die Erlaubnis geben wollte, mit dem ratternden Apparat in das Nashorngehege zu steigen. Oder der solargetriebene Ameisenzähler. Der steckte vermutlich noch irgendwo im Boden des Gartens um die Villa. Anfangs hatte er sich mit großer Begeisterung an einem Ameisenloch in die Erde gegraben, doch dann war ihm die Energie ausgegangen, weil unterirdisch kein Sonnenschein zu sehen war und der Solarantrieb deshalb den Dienst verweigerte. Ob Top oder Flop – einen Nachteil hatten jedenfalls alle Erfindungen von Alberts Vater während ihrer frühen Entwicklungsphasen: Sie explodierten gerne mit lautem Knall und dunklen Rauchwolken.

«Lieber lasse ich mich weiter von unserem Spezialrollstuhl in die Luft werfen, als von einer explodierenden Rakete in eine Erdumlaufbahn gesprengt zu werden», sagte Albert.

«Papperlapapp!» Tante Amelie winkte mit der Hand ab. «Sooo schlimm sind die Erfindungen meines Bruders auch wieder nicht.»

Albert, Lilly und Magnus warfen ihr einen langen, vielsagenden Blick zu.

«Oder etwa doch?», fragte Tante Amelie kleinlaut.

Niemand antwortete ihr. Stattdessen murmelte Magnus ein paar Sätze, in denen die Worte «sicherer», «selbst» und «überleben» verdächtig oft vorkamen.

«Los! Wir machen noch einen Test!», entschied Albert. «Eigentlich müsste es doch funktionieren.»

Magnus presste die Lippen aufeinander. Den ganzen Vormittag hatten sie alles überprüft, verändert und ausprobiert. Und doch weigerte sich der Rollstuhl beharrlich, sich schön sanft und langsam zusammenzufalten, bis er schmal genug war, um durch den Tunnel zu passen. Heimlich bewunderte Magnus Albert für seine Ausdauer.

«Bereit?», fragte er und hielt die Griffe des Rollstuhls fest.

«Ber...», setzte Albert an.

Sein Finger lag schon auf dem Auslöser. Da flatterte Merlin heran, hopste auf die Rückenlehne und stocherte mit dem Schnabel im Faltmechanismus herum. Albert zog seinen Finger zurück.

«Lass das, Merlin!», schimpfte Magnus. «Das ist gefährlich. Wenn du da mit den Flügeln reingerätst, wirst du gerupft und langgezogen wie ein Gummibärchen auf der Folterbank.»

So leicht ließ Merlin sich jedoch nicht von seinem Vorhaben abbringen. Mit aller Vogelgewalt zerrte er an irgendetwas herum, das tief im Motor steckte. Die Kinder und Tante Amelie beobachteten verwundert, wie er immer wieder den Schnabel hineinstieß. Schließlich zog die Dohle einen kurzen Kupferdraht heraus und flog triumphierend damit auf das oberste Regalbrett. Albert schimpfte ihm wütend hinterher.

«Nun hat Merlin euer Werk wohl vollkommen kaputt gemacht», seufzte Tante Amelie mitfühlend.

Lilly klopfte Magnus tröstend auf die Schulter. Aber der achtete gar nicht darauf. Er sah mit großen Augen auf den Mechanismus.

«Da hätte gar kein Draht sein dürfen», flüsterte er. «Der muss da von selbst reingerutscht sein. Ob er vielleicht ... einen Kurzschluss? Könnte das der Grund für ...?» Er blickte auf, vom einen Ohr zum anderen strahlend. «Mensch, Albert! Drück mal schnell den Knopf!», forderte er.

Albert schaute ihn wenig überzeugt an, aber er

gehorchte. Wagemutig presste er seinen Finger auf den Knopf, der so oft an diesem Tag statt des erhofften Faltens ein unbeabsichtigtes Schleudern ausgelöst hatte. Gebannt starrten Magnus, Lilly und Tante Amelie auf ihn. Und zu ihrer aller Überraschung surrte der Rollstuhl kaum hörbar leise vor sich hin und ... wurde schmaler. Exakt, wie Albert und Magnus es sich gewünscht hatten.

«Es funktioniert!», jubelten alle vier.

Und wirklich – der Stuhl wurde nach und nach so schmal, dass er durch den engen Eingang des Tunnels passen würde. Und vor allem warf er Albert nicht mehr schwungvoll heraus. Er brauchte sich nur ganz klein zu machen und die Luft anzuhalten, solange sein Gefährt auf den Durchfahrmodus gestellt war. Mit einem Klick auf einen zweiten Knopf ließ er den Stuhl wieder breiter werden.

«Magnus, du bist ein Bastelmeister!», rief Albert freudig aus, und Lilly johlte dazu.

«Na ja, aber mindestens die Hälfte des Ruhms gebührt dem vorwitzigen Merlin», gestand Magnus ein. «Ohne dessen diebische Ader hätten wir den Fehler nie gefunden.»

Merlin blickte bei der Erwähnung seines Namens vorsichtig vom Regal herab. Im Schnabel hielt er immer noch den schicksalsschweren Draht. Und er hatte nicht die Absicht, ihn freiwillig wieder herzugeben.

«Den kannst du behalten», lachte Albert. «Aber

versteck ihn gut. Denn jetzt, wo der Rollstuhl endlich fertig ist, geht es ab in die Vergangenheit. Und zwar alle gemeinsam!»

«Einen Moment noch!» Tante Amelie hob die Hände abwehrend in die Höhe. «Mir ist klar, dass du ungeduldig deiner ersten Zeitreise entgegenfieberst. Aber ein paar Minuten muss das noch warten.»

Albert und Magnus sahen sie verständnislos an. Lilly kicherte.

«Ihr beide seid nämlich so mit Schmiere und Dreck verkleistert, dass man glauben könnte, ihr hättet einen Ölwechsel bei einem Ozeandampfer gemacht», erklärte Tante Amelie. «Und glaubt mir, in der Zeit, in die wir reisen wollen, haben die Menschen ziemlich viel Wert auf Sauberkeit gelegt.»

Lilly grinste. «Ich schlage vor, ihr beeilt euch mit dem Duschen und Umziehen», sagte sie. «Sonst gehen wir am Ende noch vor euch los. Ich habe nämlich den Verdacht, dass wir diesmal wieder ein ziemlich cooles Abenteuer erleben werden. Und ich kann es kaum erwarten, endlich damit anzufangen.»

«Wir auch nicht!», riefen Albert und Magnus gleichzeitig. Sie sausten los. Durch die Kellertür, die Treppe hinauf, an welcher Alberts Vater einen Zugmechanismus für den Rollstuhl angebaut hatte, und in Richtung Badezimmer. Keine Minute später brausten sie sich den Dreck der Gegenwart herunter. Und machten sich bereit für einen sauberen Start in das Damals.

Ein Hauch von Weltraum

Der zweite Schrecken des Tages erwartete Albert in seinem Zimmer. Nach dem Duschen wollte er wie gewohnt eine kurze Hose und ein T-Shirt anziehen, als Tante Amelie ihm und Magnus strahlend jeweils ein weißes Hemd entgegenhielt.

«Hier, zieht das an», sagte sie. «Die habe ich in deinem Kleiderschrank gefunden.»

«Auf keinen Fall!», wiegelte Albert ab. «Das Ding hat bei der goldenen Hochzeit von Oma und Opa versucht, mich zu erwürgen. Weißt du das nicht mehr?»

«Doch, ich kann mich sehr wohl noch an dein bühnenreifes Röcheln erinnern», nickte Tante Amelie. «Ich hatte dir damals sogar angeboten, einen Luftröhrenschnitt mit dem Tortenheber zu machen, aber du bist heftig dagegen gewesen.»

Magnus, der klaglos in das Hemd schlüpfte, machte große Augen.

«Erwürgen? Luftröhrenschnitt? Wie geht es denn bei euch auf den Familienfeiern ab?», wunderte er sich. «Unsere sind immer stinklangweilig.»

«Du Glücklicher!», stellte Albert fest. «Gib mir bitte sofort Bescheid, wenn bei euch ein Platz für ein Adoptivkind frei wird.»

«Das würde dich auch nicht davor retten, dass du nur in einem ordentlichen Hemd in die Vergangenheit darfst», stellte Tante Amelie ruhig fest. «Betrachte es einfach als Zeitreiseuniform.»

Albert schaute hilfesuchend zu Magnus, doch der zuckte nur mit den Schultern. «So schlimm ist das gar nicht», mühte er sich, seinem Freund das Hemd schmackhaft zu machen. «Da musste ich schon weit schlimmere Kostüme ertragen. Denk nur an den Pluderhosenkram bei Leonardo. Die Leute haben damals eben total verrückte Sachen angezogen.»

Widerstrebend nahm Albert seiner Tante das Hemd ab. Blöderweise hatten die beiden ja recht. Wer in eine andere Zeit reiste, sollte besser so gekleidet sein wie alle anderen. Sonst fiel man gleich auf wie ein Bayer in Lederhose und Gamsbarthut beim Beachvolleyball.

«In Ordnung», maulte er. «Aber ich lasse den obersten Knopf offen.»

«Und ich nehme vorsichtshalber einen Tortenheber mit», meinte Tante Amelie heiter. «Nur für den Notfall, versteht sich.»

Magnus prustete vor Lachen und verschluckte sich prompt. Er hustete heftig, als Lilly angelaufen kam. In der Hand hielt sie ein schnurloses Telefon, das eifrig klingelte.

«Ich wusste nicht, ob ich rangehen soll», erklärte sie und gab das Telefon an Tante Amelie weiter.

«Hallo?», sagte Tante Amelie, nachdem sie auf den

Knopf zum Abheben gedrückt hatte. «Ach, du bist es.» Sie hielt den Apparat ein Stück zur Seite und sagte: «Dein Vater!» zu Albert. Dann schaltete sie den Lautsprecher ein.

«Geht es euch gut? Macht der Junge keine Scherereien?», tönte die Stimme von Alberts Vater durch das Zimmer.

«Alles bestens», beruhigte Tante Amelie ihn. «Albert ist sehr brav. Stell dir vor: Heute wird er sogar sein bestes Hemd tragen. Freiwillig!»

Magnus, der gerade seinen Hustenanfall überstanden hatte, bekam bei diesen Worten einen Schluckauf. Und Albert probierte, seine Tante mit dem tödlichsten Blick, den er konnte, zum Schweigen zu bringen. Lilly grinste. Sie fand Tante Amelie einfach megacool. Bislang hatten sie immer höllisch aufpassen müssen, dass kein Erwachsener auch nur den kleinsten Verdacht schöpfte, wenn sie auf Zeitreise waren. Denn natürlich hätte jeder Erwachsene derart gefährliche Abenteuer auf der Stelle verboten. Jeder Erwachsene – mit Ausnahme von Tante Amelie. Statt zu schimpfen, war sie augenblicklich in die Vergangenheit geeilt, als Albert ihr von dem geheimen Tunnel erzählen musste, weil er jemanden brauchte, der lebensrettende Medikamente zu den Indianern brachte. Und nach ihrer Rückkehr hatte sie sich sofort mit den Kindern zusammengesetzt, um den nächsten Trip zu planen. Sie wollte die zwei Wochen, in denen sie auf Albert und die Villa aufpasste, möglichst gut nutzen, hatte sie gesagt. Denn so lange war Alberts Vater bei einem Erfinderkongress.

«Hör mal, Amelie, ich habe da ein Problem», sprach er nun ins Telefon. «In meinem Labor steht auf der Fensterbank eine bahnbrechende Erfindung von mir: der zeitgesteuerte Selbstverwelker. Er sieht aus wie eine Topfpflanze und ist für Leute gedacht, die allergisch sind gegen echte Topfpflanzen. Nun glauben mir hier einige meiner Kollegen nicht, dass der Selbstverwelker auch wirklich verwelkt, während ich auf dem Kongress bin. Könntest du mal nachsehen, ob er schon seine Blätter hängen lässt?»

«Ich mach das!», rief Lilly und sauste los.

Eine knappe Minute später war sie zurück. Mit einem Blumentopf, dessen oberer Rand abgesprengt war und schwarze Schmauchspuren aufwies.

«Und? Ist er verwelkt?», fragte Alberts Vater erwartungsvoll.

«Nicht direkt», antwortete Tante Amelie zögerlich. «Er ist eher ... explodiert.»

«Was? Schon wieder?», wunderte sich Alberts Vater. Er klang ein wenig enttäuscht. Aus dem Hintergrund erscholl hämisches Lachen. Offenbar hatten ein paar andere Erfinder das Gespräch mitgehört.

«Nun ja, da kann man wohl nichts machen.» Alberts Vater legte eine Pause ein.

«Auweia, das hat ihn wohl ziemlich getroffen,

wie?», flüsterte Magnus. Aber Albert schüttelte den Kopf. Er kannte seinen Vater besser.

«Nun, ist nicht so tragisch», hörten sie da schon aus dem Telefon. «Ich konnte Topfpflanzen sowieso nie ausstehen. Weder echte noch nachgebaute. Was sind die schon gegen mein Robokanin? Mit vollsynchronisierten Nagezähnen. Für Leute mit Tierhaarallergie, die auch gerne durchgeknabberte Elektrokabel hätten.»

Hinter ihm schienen die Erfinderkollegen in helle Aufregung zu geraten. «Synchronisiert, sagen Sie?», rief jemand. «Welchen Antrieb verwenden Sie?», wollte ein anderer wissen. «Sind die Zähne aus Titan oder einer Legierung?», fragte ein dritter dazwischen.

«Ich ... ich muss dann Schluss machen», bemühte sich Alberts Vater, das Durcheinander auf seiner Seite zu übertönen. «Schön, dass bei euch alles in Ordnung ist.» Und er legte auf, während eine heisere Erfinderstimme krächzend danach verlangte, eine Konstruktionszeichnung von dem Robokanin zu sehen.

«Na, der hat anscheinend seinen Spaß», stellte Tante Amelie fest und starrte das Telefon ein wenig ungläubig an.

«Wir aber auch!», behauptete Lilly. «Denn jetzt geht es endlich, endlich los!»

Sie schnappte sich die Griffe von Alberts Rollstuhl und schob ihn im Laufschritt zur Treppe. Magnus setzte ihr nach. Und auch Tante Amelie war nicht mehr zu halten.

«Diesmal bin ich nicht die Letzte!», rief sie, während sie hinter den Kindern durch den Flur lief.

Vor dem Eingang zum Tunnel legten sie eine ehrfürchtige Pause ein.

«Deine erste Zeitreise, Albert», sagte Tante Amelie. «Bist du aufgeregt?»

«Weiß nicht», gestand Albert. «Vielleicht ein bisschen. Weil niemand hier im Keller die Stellung hält und uns Hilfe schicken kann, wenn's brenzlig wird.»

«Ist doch auch nicht nötig», beruhigte ihn Lilly. Sie stellte sich auf die Zehenspitzen, damit Merlin bequem von seinem Regalbrett auf ihren Arm krabbeln konnte. «Meistens hat Dubios die Schwierigkeiten gemacht. Und den haben wir bei den Indianern zurückgelassen.»

Magnus verzog bei der Erwähnung des Namens *Dubios* das Gesicht. Hermann Dubios war ein durchtriebener Gauner und ihr Erzfeind. Er stammte aus dem 19. Jahrhundert und war durch Zufall hinter das Geheimnis des Tunnels gekommen und den Kindern in die Gegenwart gefolgt. Seitdem hatte er ständig versucht, den Tunnel unter seine Kontrolle zu bringen. Dabei war ihm jedes Mittel recht gewesen. Wirklich *jedes* Mittel. So hatte er einmal verschuldet, dass Magnus eine schwere Wunde am Bein

zugefügt wurde. Und er hatte sogar probiert, Lilly
und Magnus den Rückweg in das Jetzt zu versper-
ren. Dubios war in der Tat mit Abstand die größte
Gefahr gewesen, denen sie auf ihren Zeitreisen be-
gegnet waren. Doch bei ihrem letzten Abenteuer war
er den indianischen Freunden von Lilly und Magnus
in die Hände gefallen. Und die hatten kurzerhand
versprochen, ihn in ihrer Zeit zu behalten.

Albert atmete tief durch.

«Na, denn!», sagte er und drückte auf den Knopf
zum Verschmälern des Rollstuhls. Der Mechanismus surrte leise und faltete sich langsam zusammen.
Magnus schob ihn in den Tunnel hinein.

Alberts Herz pochte so wild, dass er meinte, es
müsse ein Echo an den Tunnelwänden geben. Hier

am Anfang waren sie so rau wie in einer Höhle. Er streckte einen Finger aus und tippte leicht gegen den Felsen. Ein blaues Licht leuchtete an der Stelle auf, die er berührt hatte.

«Wow!», stieß er beeindruckt aus.

Tante Amelie und Lilly knipsten Taschenlampen an. Albert war kurz geblendet, aber er schloss nicht die Augen. Er wollte so viel wie möglich von dem Weg in die Vergangenheit mitbekommen. Kein noch so kleines Detail wollte er verpassen. Der Tunnel machte einen Knick und wurde hinter der Biegung breiter. Albert ließ den Rollstuhl wieder seine normale Form annehmen.

«Das hier ist die Weltkarte», sagte Lilly. Ihr Atem bildete in der kühlen Tunnelluft kleine Wölkchen.

Albert erkannte die goldenen Linien in der Felswand. Sie bildeten die Umrisse der Kontinente. Mit dieser Karte konnte man den Ort bestimmen, zu dem die Reise gehen sollte. «Wir wollen nach Houston in Texas. Das ist ungefähr dort.» Lilly legte den Finger in den unteren Teil von Nordamerika, und die Stelle strahlte bläulich.

«Und hier sitzt normalerweise der blaue Kristall, wenn der Tunnel geschlossen und vollständig in der Gegenwart ist», sagte Magnus und wies auf eine kleine Vertiefung neben der Karte. Der blaue Kristall war die Steuerung für den Zeitentunnel. Solange man ihn mit der Spitze auf die Weltkarte drückte, sprang sein Ausgang mit jeder Sekunde ein Jahr weiter in die Vergangenheit. Zog man ihn ab, blieb die Verbindung zwischen dem Jetzt am Eingang und dem Damals am Ausgang bestehen, bis man den Kristall an seinen Platz zurücksteckte.

«Für das Jahr 1969 hat der Tunnel nicht einmal eine Minute gebraucht», erklärte Magnus. «So eine Präzisionsreise ist besonders schwierig. Deshalb sollten wir nachher jemanden nach dem genauen Datum fragen. Nur, um sicherzugehen.»

«Jedenfalls habe ich den Kristall jetzt in meiner Geheimtasche, damit er nicht verlorengeht oder geklaut wird und jeder durch die Zeiten marschieren kann, weil wir ihn nicht mehr schließen können», fügte Lilly hinzu.

Albert nickte. Er wusste dies alles natürlich längst,

denn so hatte es in dem alten Notizbuch vom Vorbe-
sitzer der Villa gestanden. Und so hatten es ihm auch
Lilly und Magnus oft erzählt. Doch bislang hatte er
diese Dinge noch nie mit eigenen Augen gesehen.

«Weiter?», fragte Lilly.

«Weiter!», sagte Albert.

Der hintere Teil des Tunnels war bei jedem Abenteuer anders beschaffen, denn der Ausgang sah stets
unterschiedlich aus. Mal war es ein schlammiges Erd-
loch, mal eine verlassene Goldmine, mal ...

«... eine Stahlröhre!», wunderte sich Albert.
«Sind wir etwa in einem Abwasserrohr?»

«Nee, die sind nicht aus Metall», sagte Magnus, der
ebenfalls staunte. Lilly und Tante Amelie glucksten
vor Vergnügen. Die beiden wussten natürlich durch
ihre kurze Erkundung schon, um was es sich handelte.

«Wartet es nur ab», riet ihnen Tante Amelie. «Wir
sind nämlich gleich da.»

Sie überholte die Jungen und schob eine große
Blechwand beiseite, die das Ende des Tunnels ver-
sperrte.

«Ist ganz leicht», sagte sie, als Albert und Magnus
verdutzt ihre Bärenkräfte bewunderten. «Bestimmt
aus Aluminium.»

Albert rollte aus der Röhre, und dann klappte ihm
der Unterkiefer herunter. Magnus, der sich neben ihn
stellte, stieß einen anerkennenden Pfiff aus.

«Wahnsinn! Warum kann der Ausgang des Tunnels nicht immer an so einem gigakrassen Ort sein?», hauchte er beeindruckt.

Lilly und Tante Amelie lächelten. Sie warteten, bis die Jungen den ersten Eindruck verarbeitet hatten. Und das konnte ein paar Minuten dauern. Denn der geheime Tunnel hatte sie in eine riesige Lagerhalle geführt, in der ausgediente Teile des amerikanischen Weltraumprogramms abgestellt worden waren. Raketenstufen lagen hier neben Kommandokapseln. Düsenantriebe stapelten sich mit Turbinen. Und Tankbehälter für flüssigen Sauerstoff bildeten zusammen mit Prototypen von Satelliten metallene Haufen.

«So was von abgefahren!», murmelte Albert. «Das ist ja besser als jedes Museum.»

«Vor allem, weil manche von den Dingen bestimmt noch vor ein paar Jahren in Gebrauch waren», meinte Tante Amelie. «Schließlich sind wir ja deshalb ausgerechnet in diese Zeit gereist – weil wir sehen wollen, wie die Menschen ihre ersten Schritte ins Weltall machen.»

«Und auf den Mond!», ergänzte Lilly mit Nachdruck. «Das war doch das größte Abenteuer bei der ganzen Raumfahrt.»

Albert und Magnus erwachten allmählich aus ihrer staunenden Starre.

«Und was für eine Röhre hat sich der Tunnel nun für seinen Ausgang ausgesucht?», fragte Albert.

Er fuhr eine Kurve um den Rand des Metalltunnels herum. Vor ihm erstreckte sich eine über zehn Meter lange und rund drei Meter breite Röhre, die außen weißgestrichen war.

«Während du und Magnus beim Duschen wart, haben Lilly und ich mal mit deinem Computer im Internet gestöbert», sagte Tante Amelie. «Wir glauben, dass dies ein Stück von einer Titan-II-Rakete

ist. Damit haben die Amerikaner eine Menge Flüge ins All gemacht, bevor es sie zum Mond gezogen hat.»

«Die hier hat aber einen Riss», ergänzte Lilly und zeigte mit dem Finger auf einen dünnen Spalt, der sich knapp über dem Boden etwa einen Meter entlangzog. «Deshalb war sie wohl nicht zu gebrauchen und wurde hierher abgeschoben.»

«Für uns ist das ein echter Glücksfall», sagte Tante Amelie, die das Alublech wieder vor den Ausgang schob. «So ist der Tunnel hübsch unauffällig, und trotzdem finden wir ihn mit Leichtigkeit wieder.» Sie wischte sich die Hände an einem Taschentuch ab. «Beinahe wie damals auf Kreta, als ich an archäologischen Ausgrabungen teilgenommen habe. Der Palast dort war ein fürchterliches Labyrinth, und wir standen mit unserem Team an einer Gabelung, an der sich drei Gänge trafen. Es war absolut notwendig, dass wir uns später genau erinnern konnten, für welchen Weg wir uns entschieden hatten.»

Die drei Kinder sahen sie erwartungsvoll an. Sie waren sich noch nicht sicher, ob Tante Amelie ständig neue Geschichten erfand oder ob sie tatsächlich schon immer so ein aufregendes Leben geführt hatte.

«Und was habt ihr gemacht?», fragte Albert schließlich.

«Hmm, wir haben uns ganz einfach für den Gang

entschieden, über dem jemand ‹Hier ist kein Monster› in den Stein geritzt hatte», verriet Tante Amelie.

Magnus schluckte. «Na, super! Ich hoffe, wir bekommen es nicht auch mit einem Monster zu tun.»

«Ach was!», wiegelte Lilly gutgelaunt ab. «Auf uns wartet etwas viel Besseres – echte Astronauten!»

Und sie ging mit entschlossenen Schritten auf das Tor der Halle zu, das ihnen den Weg in das Jahr 1969 öffnete.

Die Kleinsten
beißen die Hunde

Kurz darauf marschierten sie eine langgezogene Landstraße entlang. Vor ihnen war eine Siedlung zu sehen, aber bis dahin hatten sie noch ein ordentliches Stück hinter sich zu bringen.

«Warum willst du eigentlich unbedingt die Mondlandung sehen?», fragte Albert Tante Amelie. «Ich meine, für mich ist die Auswahl ziemlich klein, weil ja nur eine Zeit in Frage kommt, in der es schon Rollstühle gab. Magnus interessiert sowieso alles, was mit Technik, Raketen und Fliegen zu tun hat. Na, und Lilly ist ganz wild auf Astronauten wegen des Abenteuers. Trotzdem hast ausgerechnet du die Mondlandung vorgeschlagen. Aber wieso?»

«Also, das ist doch klar wie eine Sonneneruption», sagte Tante Amelie mit gespielter Empörung. «Oder hast du etwa vergessen, an welchem Tag ich Geburtstag habe?»

Albert runzelte die Stirn. «Hab ich nicht. Am 21. Juli natürlich. Aber was hat das damit zu tun?»

«Du musst etwas genauer sein», tadelte ihn Tante Amelie. «Ich bin nämlich am 21. Juli 1969 geboren worden. Und das ist zufällig exakt der Tag ...»

«... an dem der erste Mensch den Mond betreten hat!», fiel Lilly ein.

«Meteoritenstark!», staunte Magnus. «So ein Datum vergisst man nicht.»

«Recht hast du», bestätigte Tante Amelie. «Nur war ich damals so sehr mit meiner eigenen Geburt beschäftigt, dass ich leider von der Mondlandung und dem ganzen Drumherum absolut nichts mitbekommen habe. Und deshalb musste ich sofort daran denken, als ich von eurem Zeitentunnel erfahren habe. Ist doch Grund genug, oder?»

«Absolut», gab Albert zu. Und er nahm sich vor, nach ihrer Rückkehr ins Jetzt mal im Internet nachzuforschen, ob auch an seinem Geburtstag ein ähnlich tolles Ereignis stattgefunden hatte.

Während ihres Gesprächs hatten sie die Siedlung fast erreicht. Es waren lauter hübsche Häuser aus Holz. Jedes von ihnen hatte einen großen Vorgarten, eine Garage und vermutlich einen weiteren Garten hinter dem Haus. Doch das konnten Tante Amelie und die Kinder noch nicht genau erkennen, als sie plötzlich angstvolle Kinderschreie hörten. Merlin, der bis dahin auf Alberts Schulter gesessen hatte, flog mit einem Krächzen auf und hielt auf die Häuser zu.

«Das riecht nach Ärger», sagte Magnus. In seinem Magen setzte augenblicklich das nervöse Grummeln ein, das ihn immer befiel, wenn es auf den Zeitreisen Probleme gab.

Wieder tönten die Schreie zu ihnen herüber. Diesmal begleitet von einem Bellen.

«Ich glaube, die rufen um Hilfe», stellte Tante Amelie fest. Entsetzt sah sie die Kinder an.

«Glaub ich auch», erwiderte Lilly knapp – und lief los. So schnell ihre Beine sie trugen, rannte sie hinter Merlin her. Dorthin, wo offenbar ein oder mehrere Kinder in Schwierigkeiten steckten. Tante Amelie und die beiden Jungen zögerten nur eine Sekunde, dann setzten sie ihr nach.

Die Straße war gut asphaltiert, deshalb kam Albert am schnellsten voran. Bei den ersten Häusern hatte er sogar Lilly fast eingeholt. Die beiden erkannten auf Anhieb, was los war. Ein wildes Rudel von Hunden hatte drei Kinder auf einen Baum gejagt und belagerte sie nun kläffend und zähnefletschend. Ein Junge im Vorschulalter jammerte weinend nach seiner Mami. Ein nur wenig größeres Mädchen klammerte sich stumm und starr vor Angst an dem Ast fest, auf dem es saß, und ein etwas älteres Mädchen rief verzweifelt um Hilfe. Neben ihr hockte Merlin und schimpfte kräftig auf die Hunde ein.

Albert und Lilly tauschten schnell einen Blick. Direkt auf die Hunde zulaufen und sie verscheuchen konnten sie nicht. Es waren vier übermütige Streuner. Ihr Anführer war eine langgezogene Promenadenmischung mit kurzen Stummelbeinen, der giftig die Zähne fletschte und am Baum hochsprang. Ein Beagle mit Schlappohren drehte derweilen bellend seine Runden um den Stamm, gefolgt von einem weiteren Mischling, der eher den Eindruck machte, als wüsste er nicht, worum es eigentlich gerade ging. Etwas abseits knurrte ein sabbernder Boxer. Zusammen waren sie eine Bande, mit der man sich besser nicht anlegte.

Doch Lilly hatte nicht umsonst auf mehreren Zeitreisen reichliche Erfahrungen im Umgang mit gefährlichen Situationen gesammelt. Sie schaute sich rasch um und entdeckte an dem Haus gegenüber genau das richtige Werkzeug, um es mit den Hunden aufzunehmen. Im Nu sauste sie hinüber und war gleich darauf zurück.

«Hier, halt das!», kommandierte sie und drückte Albert das Ende eines Gartenschlauchs mit Spritzdüse in die Hand. «Ich drehe das Wasser auf.»

Albert grinste, während Lilly wieder zu dem Haus lief. Genüsslich zielte er auf den großen Boxer. Das Wasser würde dem Tier nicht wirklich wehtun. Aber um sein erhitztes Gemüt abzukühlen, war es genau richtig.

Der Strahl schoss mit Macht aus dem Schlauch und traf den Hund direkt am Hinterteil. Er jaulte auf und machte einen Satz, dass er beinahe selbst auf dem untersten Ast des Baumes gelandet wäre. Zutiefst erschrocken jagte der Boxer davon, ohne sich auch nur umzusehen, was ihn da erwischt hatte. Verwundert blieben der Beagle und sein Mischlingsschatten stehen. Albert verpasste ihnen eine Dusche

mit Vollwaschgang. Triefend nass nahmen die beiden Reißaus. Jetzt war nur noch der Stummelbeinige übrig. Albert legte auf ihn an, doch statt ebenfalls das Weite zu suchen, nahm der kleine Hund die Herausforderung an und schnappte wütend nach dem Wasserstrahl. Wie in einem Rausch biss er in das Nass.

«Verflixt!», schimpfte Lilly. «So wird das nichts. Der Spinner gibt einfach nicht auf.»

Albert nickte mit zusammengepressten Zähnen. Er hatte den Eindruck, dass dieser Hund irgendwie größenwahnsinnig war und sich von dem Wasser nur noch mehr angestachelt fühlte. Aber wie sollten sie ihn dann verscheuchen?

Die Antwort kam von der Seite geflogen. Sie traf den Hund direkt am Kopf und hinterließ einen matschigen roten Fleck. Kein Blut, wie Lilly im ersten Moment dachte, sondern der Saft einer zerplatzten Kirsche. Gleich darauf kam noch eine geflogen und erwischte das Tier an der Flanke. Dann noch eine Kirsche und immer mehr. Es war ein ganzes Bombardement, mit dem Magnus und Tante Amelie ihn eindeckten. Eifrig pflückten sie vom Baum im Nachbargarten weitere Munition. Der Hund biss hektisch um sich, mal nach dem Wasserstrahl, dann nach den Kirschen, doch beides zugleich konnte er nicht ab-

wehren. Also drehte er sich endlich auf den Hinterpfoten um und rannte kläffend davon.

«Sie sind weg!», rief Tante Amelie in den Baum hinein. Der Universalübersetzer brachte ihre Worte automatisch ins Amerikanische. «Ihr könnt nun runterkommen.»

Der kleine Junge hörte auf zu weinen. Er schniefte nur noch ein wenig, als er mit den beiden Mädchen nach unten turnte.

«Da habt ihr aber Glück gehabt, dass wir gerade vorbeigekommen sind», sagte Albert, der den Schlauch auf die Straße richtete, solange Lilly das Wasser abdrehte. «Komisch, dass euch sonst niemand gehört hat.»

«Gar nicht komisch», maulte das jüngere Mädchen, das um die sieben Jahre alt sein mochte. «Das ist total normal hier.»

«Wie bitte?», wunderte sich Magnus. «Aber hier stehen doch massig Häuser. Wo sind all die ganzen Leute, die darin wohnen?»

«Ach, die stecken alle auf dem Mond», winkte das größere Mädchen ab. Es war etwa ebenso alt wie Albert, Lilly und Magnus.

«Hä? Wie das?», fragte Lilly entsetzt.

«Na, die Väter hier sind alle Astronauten und trainieren von früh bis spät, weil sie zum Mond fliegen wollen», erklärte das Mädchen. «Und die Mütter machen mal wieder Kaffeeklatsch bei Frau Armstrong.»

«Verstehe», nickte Tante Amelie. «Da hat wohl keiner Zeit, seine Kinder vor einem übermütigen Hunderudel zu retten.»

«Ja, genau», beschwerte sich der Junge. «Dabei ist dieser blöde Linus echt eine total gemeine Landplage.» Er schüttelte entrüstet seine kleine Faust drohend in die Richtung, in welche der stummelbeinige Hund entschwunden war.

«Aha, Linus heißt das Flohtaxi», stellte Albert fest. «Ich bin übrigens Albert. Das ist meine Tante Amelie. Und natürlich Lilly und Magnus.»

«Mein Name ist Kathleen», sagte das ältere Mädchen. «Das sind meine Schwester Ann und mein Bruder Michael ...»

«... junior!», ergänzte der Knirps lauthals.

«Wir sind die Collins», fügte Ann hinzu.

Albert riss die Augen weit auf. Michael Collins war der Name eines der Astronauten von Apollo 11 – jener Mission, die als Erste auf dem Mond landete. Selbstverständlich handelte es sich dabei nicht um den Knirps, der hier vor ihnen stand. Aber wenn er Michael Collins junior war, hieß sein Vater bestimmt Michael Collins senior und war genau dieser Raumfahrer. Sie hatten durch Zufall gleich nach ihrer Ankunft die richtigen Kinder getroffen.

«Sollen wir euch vielleicht nach Hause bringen?», fragte Albert. Dabei zwinkerte er heimlich Lilly und Magnus zu, die ihn leicht verwirrt ansahen. «Sozusagen als Geleitschutz vor dem räudigen Linus.»

«Oh ja, das wäre nett», freute sich Kathleen. «Manchmal lauert er uns nämlich hinter irgendwelchen Hecken oder Zäunen auf. Aber wenn wir so viele sind, traut er sich wohl kaum, auf uns loszugehen.»

«Na dann, zeigt uns einfach den Weg.»

Tante Amelie trat einen Schritt zur Seite und wies mit ausgestreckten Armen zur Straße hinüber. Die Collins-Kinder marschierten erleichtert los. Der kleine Michael junior ergriff sicherheitshalber Tante Amelies Hand. Albert nutzte die Gelegenheit, um Lilly und Magnus schnell im Flüsterton zu erklären, welche Rolle der Vater dieser Kinder spielen würde.

«Glück muss man haben», hauchte Magnus. Und sie beeilten sich, die anderen wieder einzuholen.

Sie waren kaum ein paar Häuser weit gekommen, als tatsächlich jemand hinter einem Bretterzaun hervorsprang und sich ihnen direkt in den Weg stellte. Aber es war nicht Linus, sondern ein junger Mann in einem zerknitterten Anzug mit schiefsitzender Krawatte, einem Notizblock in der linken Hand und einem Bleistift in der rechten. Auf der Nase hatte er eine Brille mit dickem Rand und schmierigen Gläsern.

«Ah! Der süße Collins-Nachwuchs», rief er in gespielter Überraschung aus. «Und diesmal in reizender Begleitung.»

Er warf einen kurzen Blick auf Tante Amelie.

Zumindest hatte er nur einen kurzen Blick vor, doch weil Tante Amelie nicht nur etwas merkwürdig, sondern obendrein ziemlich hübsch war, blieben seine Augen förmlich an ihrem Lächeln kleben.

«Das ist Robert Pencil, der Reporter», sagte Kathleen mit einem Ausdruck, als müsste sie einen besonders schleimigen und glibberigen Frosch küssen. «Und Mama hat uns verboten, mit ihm zu reden.»

«S... sehr erfreut», stotterte Robert Pencil. Er streckte Tante Amelie freudestrahlend die Hand entgegen. «Sie dürfen Bobby zu mir sagen.»

Kathleens Schwester Ann steckte sich einen Finger in den Hals und tat so, als ob sie sich übergeben müsste.

«Er schreibt nur Lügen, sagt Mama», piepte Michael junior. «Deshalb will keine von den Astronautenfamilien etwas mit ihm zu tun haben.»

«Ist das so?», fragte Tante Amelie den Reporter mit zuckersüß klingender Stimme.

«Nun ja, also nicht ganz so direkt», wand Robert Pencil sich. «Ich bin meinen Lesern eben sensationelle Artikel schuldig.»

«Dann biete ich Ihnen folgende Schlagzeile für die morgige Ausgabe an, Herr Pencil», sagte Tante Amelie mit ausgesuchter Höflichkeit. Robert Pencil leckte aufgeregt die Spitze seines Bleistifts und hielt sich bereit zum Mitschreiben. «Notieren Sie: Sensation – Starreporter auf offener Straße stehengelassen!»

Sie lächelte dem völlig verdutzten Robert Pencil noch einmal zu und ging dann in einem kleinen Bogen an ihm vorbei. Die kichernden Kinder im Schlepptau.

So leicht war der Reporter jedoch nicht abzuschütteln. Innerhalb einer Sekunde hatte er sich wieder gefangen und heftete sich an ihre Fersen.

«In welchem Verhältnis stehen Sie zur Familie Collins?», rief er Tante Amelie nach. «Kennen Sie noch andere Astronauten persönlich?»

«Wir sind gleich bei unserem Haus», raunte Kathleen Tante Amelie zu. «Aber vorher müssen wir den Reporter irgendwie abschütteln. Sonst kriegt Mama einen Anfall, wenn sie ihn sieht.»

Tante Amelie nickte. Sie drehte sich im Gehen ein

wenig zu Robert Pencil um, der nun auf der Straße neben ihr herlief.

«Nun gut, Herr Pencil. Ich gebe Ihnen noch einen Tipp», sagte sie, ohne stehen zu bleiben.

Robert Pencil strahlte über das ganze Gesicht. Wusste er es doch: Hartnäckigkeit zahlte sich immer aus. Er schob seine Brille zurecht und beeilte sich, mit Tante Amelie Schritt zu halten.

«Sie haben meine volle Aufmerksamkeit», versicherte er ihr.

«Genau das habe ich befürchtet», sagte Tante Amelie. «Denn weil Sie nicht darauf achten, wohin Sie gehen, treten Sie genau … jetzt! … in einen Hundehaufen. Mehr wollte ich Ihnen nicht mitteilen.»

Robert Pencil blieb abrupt stehen und schaute auf seine Füße. Tatsächlich! Er stand mitten in dem anrüchigen Geschäft eines Hundes. Angeekelt machte der Reporter zwei große Schritte und betrachtete seine völlig verschmutzten Schuhe. So entging ihm, dass Tante Amelie, die Collins-Kinder, Albert, Lilly und Magnus die Gelegenheit nutzten und im nächsten Haus verschwanden.

«Das macht Linus immer, wenn er uns nicht gekriegt hat», prustete Ann. «Aber so nützlich wie heute ist sein Häufchen noch nie gewesen.»

Die Kinder stürmten an das nächstgelegene Fenster und lachten aus vollem Hals über Robert Pencil, der sich auf einem Bein hüpfend bemühte, mit einem

Taschentuch den Dreck von seinen Schuhen zu wischen.

«Kathleen? Ann? Michael? Seid ihr das?», rief eine Stimme aus einem der hinteren Zimmer. Gleich darauf kam eine freundlich aussehende Frau in einem langen Sommerkleid herein. Sie stutzte, als sie die fremden Kinder und Tante Amelie sah.

«Hallo, Mama! Du bist schon zurück vom Kaffeetrinken?» Ann hüpfte zu ihrer Mutter und umarmte sie.

«Das sind Tante Amelie und Albert und Magnus und Lilly», stellte Kathleen vor. «Sie haben uns vor Linus und seiner Bande gerettet.» Und sie erzählte haarklein die Geschichte von der Wasser-Kirsch-Schlacht unter dem Baum.

«Oh, da sind wir Ihnen wohl zu Dank verpflichtet, Frau ... äh ... Amelie ...?» Patricia Collins lächelte Tante Amelie verlegen an. Tante Amelie lächelte freundlich zurück. Sie zog ein kleines Pappschild hervor und reichte es Frau Collins.

«Hier, meine Visitenkarte», säuselte sie.

Frau Collins nahm die Karte entgegen, warf einen Blick drauf und riss die Augen weit auf.

«Sie sind ...? Große Güte!» Sie schlug eine Hand vor den Mund. «Eine Verwandte von ...»

«Nur entfernt», wiegelte Tante Amelie lässig ab. «Wir haben uns leider viel zu selten gesehen.»

Albert, Magnus und Lilly schauten sie verständnislos an. Welchen Trick hatte Tante Amelie diesmal wieder hervorgekramt, dass die Frau des Astronauten nun nervös mit den Mundwinkeln zuckte?

«Welche Ehre!», stammelte sie. «Falls wir uns irgendwie erkenntlich zeigen könnten ...»

«Wissen Sie, zufällig stecken wir tatsächlich in einer kleinen Verlegenheit», sagte Tante Amelie und tat so, als wäre es ihr ein wenig peinlich. «Wir würden nämlich gerne hier in der Nähe bleiben, haben aber noch keine Unterkunft.»

Frau Collins lachte kurz auf.

«Aber das ist doch kein Problem!», rief sie. «Nicht für jemanden wie Sie! Da müsste ich nur einmal kurz telefonieren. Wenn Sie so freundlich wären, einen Augenblick zu warten.»

Damit tippelte sie über das ganze Gesicht strahlend ins Nebenzimmer. Ihre Kinder folgten ihr.

«Was steht auf der Karte?», fragten Albert, Lilly und Magnus gleichzeitig. Sie wären beinahe vor Neugier geplatzt.

«Och ...» Tante Amelie setzte eine verdächtig unschuldige Miene auf. «Ich habe ihr nur eine von meinen gefälschten Visitenkarten gegeben. Wie ihr seht, sind die manchmal äußerst hilfreich. Ich habe eine ganze Sammlung davon. Wenn nötig, heiße ich im Handumdrehen mit Nachnamen Presley, Schwarzenegger, Pitt, Jolie oder T. Hotel.»

«Und diesmal?», bohrte Albert nach.

«Hmm, ich dachte, ‹Kennedy› wäre ganz passend.»

«Hä?», wunderte sich Lilly. «Wieso das denn? Wer war denn Kennedy?»

«So ziemlich der beliebteste amerikanische Präsident», erklärte Tante Amelie. «Er wurde zwar vor ein paar Jahren ermordet, aber besonders die Astronauten mögen ihn trotzdem. Weil er nämlich die Sache mit der Mondlandung erst so richtig ins Rollen gebracht hat.»

Sie beendete abrupt ihre kleine Geschichtsstunde, denn in diesem Moment kamen die Collins zurück.

«Gute Nachrichten!», freute sich Frau Collins. «Ich habe eben mit der NASA gesprochen, und die waren sofort einverstanden, für Mitglieder der Familie Kennedy das Gästehaus bereitzustellen. Wenn Sie möchten, fahre ich Sie gleich hin.»

«Das wäre sehr freundlich von Ihnen», antwortete Tante Amelie. Sie zwinkerte den Kindern verschwörerisch zu.

«Und ich hab immer gedacht, meine Ausreden, wenn ich mal zu spät zur Schule komme, wären cool», murmelte Lilly vor sich hin. «Aber von Tante Amelie kann ich wohl noch eine Menge lernen.»

Patricia Collins griff sich die Autoschlüssel und führte sie zu einem riesigen amerikanischen Auto, das in der Garage stand.

«Mensch, das ist ja fast so groß wie mein Kinderzimmer», flüsterte Magnus andächtig.

«Zum Glück», meinte Albert. Denn außer ihm, Lilly, Magnus und Tante Amelie wollten auch alle drei Collins-Kinder unbedingt mitfahren. Sie drängten sich vergnügt auf der breiten Rückbank. Magnus suchte angestrengt nach den Sicherheitsgurten, bis Albert ihm heimlich «Gibt es nicht» zuraunte.

«Die wollen zum Mond fliegen und haben nicht einmal Sicherheitsgurte?», zischte Magnus ungläubig.

«In den Raketen schon, aber nicht in ihren Autos», antwortete Albert.

«Na, wenn das mal keinen Unfall gibt», sagte Magnus leise, und sein Bauch fing wieder an zu grummeln.

Zu Recht, denn kaum waren sie aus der Garage gefahren, geschah beinahe das befürchtete Unglück. Der Reporter Robert Pencil hatte ihnen vor dem Grundstück aufgelauert und sprang nun waghalsig vor den Wagen. Doch statt anzuhalten, hupte Frau Collins nur warnend, und Robert Pencil gelang es gerade noch im letzten Augenblick, sich mit einem Sprung in die Hecke zu retten.

«Normalerweise bremse ich für jedes Eichhörnchen», sagte Frau Collins genervt. «Aber wenn diese schreckliche ... Person ... einen erst mal zu fassen hat, stehen am folgenden Tag die unmöglichsten Lügenmärchen in der Zeitung.»

Und sie trat so kräftig auf das Gaspedal, dass Magnus den Eindruck hatte, sie wollten statt mit einer Rakete mit diesem Auto zum Mond durchstarten.

Zu Gast
bei den Astronauten

Am Gästehaus der NASA wurden sie bereits erwartet. Zwei Männer winkten ihnen zu, während sie in die Auffahrt einbogen. Der eine war schlank, mittelgroß, hatte braune Haare und braune Augen.

«Das ist unser Pa!», rief Kathleen.

«Michael Collins senior», fügte ihr kleiner Bruder erklärend hinzu, wobei er das Wort *senior* besonders betonte.

«Und wer ist das neben ihm?», wollte Lilly wissen.

«Phil Screwer», stellte der Mann sich selbst vor. Er gab Frau Collins und Tante Amelie die Hand und nickte den Kindern kurz zu. Er war groß und dünn, und seine roten Haare sahen so strubbelig aus, als würde er mindestens alle fünf Minuten mit den Fingern hindurchfahren. «Normalerweise bin ich für die Technik der Kommandokapsel zuständig, die mit Ihrem Mann um den Mond fliegen soll. Aber Michael hat mir gesagt, wir hätten hier im Gästehaus so eine Art Notstand. Der Abfluss ist verstopft, und er meinte, das könnte ein Raketentechniker am schnellsten reparieren.»

«Boah! Sie bauen echte Raketen?» Magnus klappte vor Staunen der Mund auf, und er vergaß, ihn wieder zu schließen.

«Klar! In dieser Gegend gibt es ja sonst nichts zu tun», zwinkerte Phil Screwer ihm zu.

Michael Collins senior gab ihm lachend einen leichten Stoß gegen die Schulter. «He, Phil, mach dich nicht über unsere jungen Gäste lustig», tadelte er ihn scherzhaft. «Sonst suche ich mir für den Abfluss jemand anderen.»

«Nein, bitte! Tu mir das nicht an», alberte der Techniker. Dabei richtete er die Augen neugierig auf Alberts Rollstuhl. «He, Junge, den hast du aber nicht im Supermarkt gekauft, oder?»

Albert verstand nicht auf Anhieb, was er meinte. Deshalb antwortete Magnus an seiner Stelle: «Nein, den haben wir beide selbst entworfen und gebaut.»

Phil Screwer stieß einen anerkennenden Pfiff aus. Er schritt um den Rollstuhl herum und ging dahinter in die Hocke. «Ein Faltmechanismus», stellte er fachmännisch fest. «Ist der auch eure Entwicklung?»

Magnus nickte. Albert ruckte auf seiner Sitzfläche hin und her, um besser mitverfolgen zu können, was hinter seinem Rücken geschah.

«Seid ihr schon auf die Idee gekommen, ihn mit einem Differenzialgetriebe auszustatten?», fragte Screwer. Er wandte sich nun direkt an Magnus, den er als eine Art Juniorkollegen erkannt hatte.

«Nein. Was hätte das denn für einen Vorteil?» Der Junge kniete sich nun ebenfalls nieder.

«Dadurch wäre die Kraftübertragung in beide Richtungen gleich groß, wenn beim Falten eine Seite irgendwo hängen bleibt», erklärte Screwer.

«Und wie ...», begann Magnus. Doch in dem Moment platzte Lilly der Kragen.

«Stopp!», rief sie. «Wir sind doch nicht hergekommen, um Rennrollstühle zu konstruieren! Wir wollen sehen, wie Herr Collins und die anderen zum Mond fliegen!»

«Äh ... Ja ... Stimmt!», gab Magnus stammelnd zu.

«Und dann ist da noch der Abfluss, Phil», erinnerte Michael Collins senior.

Phil Screwer und Magnus rappelten sich zerknirscht hoch und folgten den anderen in das Gästehaus. Aber dabei tauschten sie einen verschwörerischen Blick. Das Wort «Rennrollstuhl» hatte sie beide auf den gleichen Gedanken gebracht. Wer sagte denn, dass man keine Hobbys neben der Raumfahrt haben durfte?

Während der NASA-Techniker und Magnus
sich gemeinsam an dem verstopften Abfluss
zu schaffen machten, zeigten Herr und
Frau Collins Tante Amelie und den
Kindern das Haus. Es war hell,
geräumig und komplett
eingerichtet.

«Ziemlich altmodisch!», flüsterte Lilly beim Anblick der gemusterten Tapeten und der seltsam gebogenen Tische.

«Psst! Das ist topmodisch in dieser Zeit», raunte Tante Amelie ihr zu.

Lilly rümpfte die Nase. Doch als sie erfuhr, dass ihr Haus im Garten einen eigenen Swimmingpool besaß, waren die Möbel vergessen.

«Voll krass!», freute sie sich. «Da werde ich jeden Morgen reinspringen – noch vor dem Frühstück.»

«Sie können bleiben, solange Sie möchten», verkündete Michael Collins senior. «Vorausgesetzt, dass nicht der jetzige Präsident oder ein Minister hier übernachten will. Dann müssten Sie leider das Haus räumen.»

«Aber in diesem Fall bringen wir Sie solange woanders unter», fügte seine Frau hinzu.

«Das ist äußerst freundlich von Ihnen», bedankte sich Tante Amelie. «Dann haben wir eigentlich nur noch eine Frage: Welchen Tag haben wir wohl heute?»

Herr und Frau Collins sahen einander an, als ob sie nicht wüssten, ob Tante Amelie sich mit ihnen einen Scherz erlaubte oder nicht.

«Also, heute ist Montag, der 2. Juni 1969», sagte Michael Collins schließlich.

«Und wo genau befinden wir uns?», hakte Albert nach.

Der Astronaut zog die Augenbrauen hoch. «Wir

sind in Nassau Bay bei Houston, Texas, Vereinigte Staaten von Amerika, Erde, Sonnensystem, Milchstraße, Lokale Gruppe, Universum. War das genau genug?»

«Ja danke, fürs Erste müsste es reichen», murmelte Albert verlegen.

«Seid ihr vom Mars?», piepste Michael Collins junior, den die komischen Fragen an eines seiner Comichefte erinnerten.

«Nein, nicht direkt», lachte Tante Amelie. «Aber wir haben eine längere Reise hinter uns. Da kommt man leicht mit den Tagen und den Orten durcheinander.»

Herr und Frau Collins lächelten. Sie hatten schon gehört, dass die Mitglieder von berühmten Familien manchmal ein bisschen seltsam waren. Da musste man eben als gewöhnlicher Astronaut drüber hinwegsehen.

«Ich muss dann mal wieder los», entschuldigte sich Michael Collins senior. «Wir haben gleich eine Besprechung wegen des Ablaufplans beim Mondflug. Da darf ich nicht fehlen.»

Er grüßte zum Abschied mit zwei Fingern, die er zackig vom Kopf nach vorne schob, und verließ das Gästehaus. Als er in sein Auto stieg, hörte er vom Pool her ein Platschen. *Das wird wohl dieses wilde Mädchen sein, das es nicht mehr aushalten konnte*, dachte er beim Abfahren.

Er hatte jedoch falsch geraten. Nicht Lilly war baden gegangen, sondern jemand anderer. Und schuld daran war Merlin. Als die Menschen im Haus verschwunden waren, hatte die Dohle beschlossen, sich den Garten ein wenig genauer anzusehen. Schließlich brauchte auch ein Vogel ein bequemes Plätzchen für die Nacht. Der Walnussbaum erschien ihm äußerst verlockend. Er war groß und breit, bot bequeme Sitzplätze und einen hervorragenden Rundumblick. So hervorragend, dass Merlin sofort die Gestalt bemerkte, die sich einige Meter unter ihm durch das Gebüsch schob. Sie war in einen knautschigen Anzug gekleidet und trug eine Fotokamera mit sich, mit der sie von Zeit zu Zeit klickend eine Aufnahme schoss.

Merlin erkannte auf den ersten Blick, dass dies der Reporter Robert Pencil sein musste. Und natürlich erinnerte der Vogel sich, dass Albert, Lilly, Magnus und Tante Amelie diesen Menschen nicht mochten. Also konnte Merlin ihn auch nicht ausstehen. Und so gefiel ihm gar nicht, was er von seinem Überwachungsposten aus sah: Robert Pencil schlich geduckt über den Rasen auf das Haus zu.

Einen ausgewachsenen Mann zu verscheuchen wäre ein wenig viel verlangt von einer einzelnen Dohle. Aber wie man einen Erwachsenen ärgert und völlig durcheinanderbringt, das wusste Merlin. Deshalb segelte der Vogel im lautlosen Gleitflug von hinten auf den Reporter zu. Im letzten Moment drehte er einen Bogen, tippte dabei dem Mann leicht mit dem Schnabel auf die Schulter und verschwand seitlich im Gebüsch.

Robert Pencil zuckte bei der unerwarteten Berührung heftig zusammen und ließ beinahe die Kamera fallen.

«Ich berufe mich auf die Pressefreiheit!», stieß er hastig hervor, während er sich umdrehte und nachsah, wer ihn da angetippt hatte. Verwundert riss er die Augen weit auf. Außer ihm war niemand auf dem Rasen. Hatte er sich das etwa nur eingebildet? Unschlüssig zuckte Pencil mit den Achseln und setzte seinen Weg fort. Er wollte Fotos von den Collins und ihrem Besuch machen. Sensationelle Aufnahmen von ihrem Privatleben. Da durfte man keine Skrupel haben – und auch keine Halluzinationen.

Merlin startete einen zweiten Anflug und stupste den Reporter erneut an, diesmal etwas fester und auf den Rücken. Robert Pencil wirbelte herum. Nein, das war keine Einbildung gewesen! Hier knuffte ihn jemand. Aber ... im ganzen Garten war weit und breit keiner zu sehen! Was ging hier vor? Der Sensationsreporter kniff die Augen zu schmalen Schlitzen zusammen. Da trieb jemand Schabernack mit ihm. Doch einen Robert Pencil legte man nicht so leicht herein. Hier war er der Jäger und nicht die Beute. Misstrauisch und mit angespannter Muskulatur drehte er sich wieder dem Haus zu. Langsam ging er weiter, aber alle seine Sinne lauschten nach hinten. Bereit, den tippenden Angreifer dieses Mal zu erwischen.

Merlin wippte auf dem Ast in seinem Versteck vor Freude auf und nieder. Er hatte bemerkt, wie aufmerksam der Mensch dort unten jetzt war. Endlich ein Erwachsener, der sich beim Spielen anstrengte! Freudig stieß der Vogel sich ab, flog nur eine Handbreit über dem Rasen an den Reporter heran, zog direkt vor ihm hoch, stieß ihn mit beiden Dohlenfüßen an der linken Schulter an und flatterte senkrecht in die Höhe.

Von oben beobachtete Merlin, wie Robert Pencil sich um die eigene Achse schraubte, dabei das Gleichgewicht verlor, zwei Schritte rückwärtstorkelte und dann über die eigenen Füße stolperte. Direkt an der Kante des Swimmingpools. Mit einem lauten PLATSCH landete der Reporter im Wasser.

Hustend und prustend schlug er wild mit den Armen, als die Bewohner des Hauses angelaufen kamen, Lilly allen voran.

«Rette mich!», kreischte Robert Pencil in allerhöchster Panik. «Ich kann nicht schwimmen!»

Lilly warf schon ihre Schuhe von sich und wollte gerade einen Kopfsprung in das Wasser machen, als Frau Collins dem Reporter mit verächtlicher Stimme zurief: «Sie brauchen auch nicht zu schwimmen, Sie jämmerliche Gestalt! Der Pool ist nur anderthalb Meter tief.»

Augenblicklich hörte Robert Pencil auf zu strampeln. Erstaunt stellte er fest, dass ihm das Wasser nur bis zum Kinn reichte. Mit einem verlegenen Grinsen schob er sich durch die sanften Wellen zur Leiter und kletterte hinaus. Die Kinder lachten lauthals, während der Reporter ein Gesicht machte, das zu seinem fürchterlich ausgebeulten, klatschnassen

Anzug passte. Ohne jede Erklärung, wie er eigentlich in den Pool gelangt war, schlurfte er davon, eine breite matschige Spur hinter sich lassend.

«Der bekommt garantiert Ärger mit seinem Chef», meinte Albert ausgelassen. Er wies mit dem Finger auf den Pool. An dessen Oberfläche blubberten ein paar Blasen. «Er hat nämlich seinen Fotoapparat da dringelassen. Und ich glaube kaum, dass der wasserdicht ist.»

Für das Abendessen räumten sie einen Tisch und ein paar Stühle auf die Veranda. Frau Collins und ihre Kinder hatten ihnen mit dem Auto noch schnell Vorräte besorgt, bevor sie nach Hause gefahren waren.

«Ich koche uns einen mongolischen Eintopf», kündigte Tante Amelie gutgelaunt an. «Das Rezept hat mir ein alter Schamane verraten, bei dem ich mal ein Praktikum als Pferde- und Ziegenflüsterin gemacht habe.»

«Hört sich lecker an», urteilte Magnus. «Ich habe einen Hunger wie die gesamten wilden Horden von Dschingis Khan auf einmal.» Sein Magen knurrte laut zur Bestätigung.

Als Antwort ertönte aus dem Wohnzimmer das energische Klingeln des Telefons. Tante Amelie stand auf und nahm den Hörer ab. Weil die Telefone in dieser Zeit keinen Lautsprecher hatten, über den andere Leute mithören konnten, verstanden die Kinder nur, was Tante Amelie sagte.

«Hallo? …Nein, bisher nicht … Ja … Wenn das möglich wäre … Gerne … Natürlich … Ich werde es ausrichten … Da freuen wir uns aber … Vielen Dank!»

Sie legte auf.

«Wer war das?», «Worüber habt ihr geredet?», «Was sollst du ausrichten?», riefen die Kinder durcheinander. Lilly hielt es nicht mehr auf ihrem Stuhl. Sie war aufgesprungen und hüpfte vor Aufregung neben dem Tisch herum.

«Also, das war Michael Collins, senior natürlich», antwortete Tante Amelie mit glänzenden Augen. «Er meint, bei der NASA seien alle ganz aufgeregt, weil ‹die Kennedys› zu Besuch seien. Er würde uns gerne morgen in das Kontrollzentrum für die Mondflüge mitnehmen und ein bisschen herumführen.»

Im ersten Moment dachte Merlin, der bereits auf seinem Ast eingenickt war, die Indianer würden angreifen. So laut war der Jubelschrei, den Albert, Magnus und Lilly ausstießen. Doch die Dohle merkte schnell, dass bei ihren Menschen alles in Ordnung war. Vielleicht ein wenig verrückt aus der Sicht ihres nüchternen Vogelverstandes. Aber das war Merlin ja gewohnt. Und außerdem gab es hier gar keine feindlichen Indianer. Nur bissige Hunde und nervige Reporter. Nichts Gefährliches also. Mit diesem beruhigenden Gedanken steckte Merlin wieder den Kopf unter die Federn und schlief ein, während unten im Garten gefeiert wurde.

Unter schwerem Verdacht!

Mit Magnus stimmte etwas nicht. Das bemerkten Albert, Lilly und Tante Amelie gleich beim Frühstück.

«He, was ist los?» Albert stieß seinen Freund an, der trübsinnig in einer Schüssel Cornflakes herumstocherte. «Gleich kommt der Senior-Michael und holt uns zum Kontrollzentrum ab. Und du machst ein Gesicht, als wärst du in einer Zeitschleife mit Klassenarbeit in Mathe gefangen.»

«Ja!», setzte Lilly nach. «Freust du dich denn gar nicht mehr? Da gibt es Raketen, Raumanzüge, Astronautentraining ... Das ist wie alle Actionparks der Welt auf einmal!»

«Ich weiß», murmelte Magnus. Er hob seinen Löffel und beobachtete, wie die aufgeweichten Flocken klumpig in die Schale zurückfielen. «Ich finde das ja auch ganz toll, aber ...»

«... du kommst nicht mit!», sagte Tante Amelie. Sie nippte an ihrem Tee. Er war noch zu heiß, um ihn in großen Schlucken zu trinken. «Weil du schon etwas anderes vorhast.»

Seelenruhig stellte sie die Tasse ab. Wieder einmal starrten die drei Kinder sie mit offenen Mündern an.

«Ach, Quatsch!», presste Albert hervor.

«Niemand lässt so ein Abenteuer freiwillig sausen!», behauptete Lilly fest.

«Woher weißt du das?», fragte Magnus, und im nächsten Augenblick drehten Albert und Lilly ihre Köpfe zu ihm herüber. Sie konnten nicht glauben, was sie da gerade gehört hatten.

«Ach, weißt du, ich habe mal in einem Zirkus als Gedankenleserin gejobbt», sagte Tante Amelie und steckte sich ein Radieschen in den Mund. «Da lernt man, die Leute ganz genau zu beobachten», erklärte sie, ohne mit dem Kauen aufzuhören. «Du hast gestern die ganze Zeit über mit diesem NASA-Techniker über Motoren, Getriebe und so 'n Zeug gefachsimpelt. Da war gar nicht zu entscheiden, wer von euch beiden mehr vom anderen begeistert ist. Und dann hat Michael Collins gestern am Telefon gemeint, es dürften alle mitkommen, die Lust darauf hätten. Also ging er davon aus, dass wenigstens einer von uns schon eine Verabredung hatte. Und deshalb ...»

Sie griff sich wieder ihre Teetasse. «Deshalb nehme ich an, dass du dich mit diesem Phil Screwer zur gemeinsamen Bastelstunde triffst.»

Magnus nickte stumm. Albert und Lilly waren absolut sprachlos. An Tante Amelie war offensichtlich ein genialer Detektiv verlorengegangen.

«Phil hat mir gesagt, dass er sich einige Tage freinehmen kann», erzählte Magnus zerknirscht. «Und da haben wir beschlossen, gemeinsam eine tolle

Sache zu entwickeln. Ich meine, ... immerhin ist er ein echter NASA-Ingenieur. Das ist schon etwas anderes als der Werklehrer in unserer Schule.»

«Und nun hast du Bauchschmerzen, weil du nicht beides gleichzeitig machen kannst und uns auch nicht enttäuschen willst?», fragte Tante Amelie.

Wieder nickte Magnus nur.

«Papperlapapp!», sagte Lilly und zog dabei die Augenbrauen hoch, wie Tante Amelie es sonst machte. «Wenn du das NASA-Basteln cooler findest als die Astronauten, dann gehst du eben schweißen und schrauben!»

Magnus sah unsicher von seiner Frühstücksschüssel auf. «Im Ernst? Ihr seid nicht böse?»

«Aber nur unter einer Bedingung», mahnte Albert scherzhaft. «Du musst uns euer Wunderwerk vorführen, wenn es fertig ist!»

«Zwei Bedingungen!» Tante Amelie hob ihre rechte Hand mit gestrecktem Mittel- und Zeigefinger in die Luft. «Außerdem musst du Merlin mitnehmen. Dohlen sind nämlich im Kontrollzentrum bestimmt nicht erlaubt.»

«Keine Sache!», sagte Magnus und strahlte vor Freude. «Und ich bin auch bestimmt rechtzeitig zum Abendessen zurück.»

Kaum hatte er den Satz ausgesprochen, knurrte sein Magen abermals laut und lange zum Zeichen, dass er vorher aber noch gerne sein Frühstück hätte.

Eine halbe Stunde später holte Phil Screwer Magnus ab. Die beiden weigerten sich standhaft zu verraten, was für ein Projekt sie sich vorgenommen hatten. Nur, dass es etwas Einmaliges und sehr Nützliches werden sollte, konnte Albert ihnen mit viel Mühe entlocken.

«Ich habe also praktisch nichts herausbekommen», maulte er, als sie den beiden Ingenieuren nachwinkten. «Denn dass Magnus nicht für einen neuen Kaffeewärmer das Kontrollzentrum sausenlassen würde, war ja von Beginn an klar.»

Kurz darauf war auch Michael Collins da, und es ging los zum Manned Spacecraft Center – der Zentrale für bemannte Raumfahrt. Sie lag einige Kilometer außerhalb der großen Stadt Houston und war von einem hohen Zaun umgeben. Nur durch eine bewachte Zufahrt konnte man mit dem Auto hinein. Michael Collins musste seinen Ausweis vorzeigen und seine Gäste auf einem Formular eintragen. Lilly grinste, als er «Mrs Amelie Kennedy and kids» in das entsprechende Feld schrieb. Erst danach ging es weiter. An säuberlich angeordneten weißen Häusern mit dunklen Scheiben oder ganz ohne Fenster vorbei zu einem der vielen großen Parkplätze, die zwischen den grünen Parkanlagen und künstlichen Teichen verteilt lagen.

«Total öde!», seufzte Lilly. Sie ließ enttäuscht die Mundwinkel hängen. «Das habe ich mir viel spaciger vorgestellt», flüsterte sie beim Aussteigen Albert und Tante Amelie zu. «So mit rotierenden Antennen und Astronauten im Raumanzug, die auf fliegenden Düsenstühlen zwischen den Gebäuden rumflitzen. Stattdessen gibt es hier nur Schlipsträger. Wo sind denn die Raketen?»

«In Florida, gut tausend Kilometer von hier», antwortete Michael Collins, der ihr leises Maulen mitbekommen hatte. Er führte sie zu einem der größeren Gebäude. «Aber hier in Houston werden die Raumflüge nach dem Start überwacht. Alle Daten, die unsere Messinstrumente in den Kapseln sammeln, und der ganze Funkverkehr laufen hier zusammen. Und wenn es da oben im All Probleme gibt, müssen die Leute im Kontrollzentrum sie lösen.»

«Kommt mir bekannt vor», raunte Albert Lilly zu. «Wie bei unseren Zeitreisen, wenn ihr beide ins Damals abfliegt und ich im Keller warte, um euch mit wichtigen Infos zu versorgen.»

Lilly presste die Lippen aufeinander. Der Vergleich passte ziemlich gut. Trotzdem war sie eher der Typ, der sich ganz und gar ins Abenteuer stürzen wollte. Daten sammeln und Infos suchen … das hier erinnerte sie doch ziemlich an Schule und nicht an ein aufregendes Astronautenleben.

«Und außerdem haben wir hier unser Klassenzimmer», fuhr Michael Collins mit seinen Erklärungen fort.

«Klassenzimmer?» Lilly blieb stehen, als sei sie gegen eine unsichtbare Wand geprallt.

«Ja, du hast richtig gehört», grinste der Astronaut sie an. «Wir haben Unterricht in Mathematik, Navigation, Himmelsmechanik, Astronomie, Physik ...»

«Halt!», rief Lilly. Sie streckte abwehrend die Arme aus. «Das ... das kann doch unmöglich Ihr Ernst sein. Ich dachte immer, Astronauten hätten einen total coolen Job. Mit schnellen Flugzeugen waghalsige Manöver machen, in Testschlitten die irrwitzigsten Achterbahnstrecken entlangschießen, schwerelos durch die Gegend gleiten und so.»

Michael Collins kratzte sich verlegen hinter dem Ohr. «Ach, das meinst du», sagte er. «Hmm, ja, solche Dinge gehören auch zum Training. Aber die machen wir ...»

«... in Florida?», vermutete Lilly.

«Nein, an lauter verschiedenen Orten, die über das ganze Land verteilt sind», korrigierte Michael Collins sie. «Ich mache dir einen Vorschlag: Heute schauen wir uns die langweiligen Sachen an, an denen unser Leben bei so einem Mondflug hängt und die dafür sorgen, dass wir heil wieder zur Erde zurückkommen. Und in der kommenden Woche sehe ich zu, ob ich dir einen Platz an Bord eines Kotzbombers verschaffen kann.»

«Eines WAS ...?» Lilly glaubte, sich verhört zu haben. Oder hatte dieser anständige und wohlerzogene Erwachsene eben wahrhaftig «Kotzbomber» gesagt?

«Ach, lass dich überraschen», schlug der Astronaut vor. «Ich denke, das könnte genau das Richtige für dich sein.»

Um seine Lippen spielte ein schwer zu deutendes Lächeln, als sie ihren Weg fortsetzten.

Ganz so langweilig, wie sie befürchtet hatte, kam Lilly die Tour durch das Kontrollzentrum dann doch nicht vor. Was auch daran lag, dass ihnen unterwegs Neil Armstrong und Edwin Aldrin begegneten, die mit Michael Collins zum Mond fliegen und ihn sogar als erste Menschen betreten sollten. Neil Armstrong war der Kommandant der Mission. Er hatte blaue Augen, und sein blondes Haar war zu einem sorgfältigen Scheitel gekämmt. Anscheinend wirkte das sehr anziehend auf Frauen, denn Albert fiel auf, dass Tante Amelie ihn auffallend häufig anlächelte und ein bisschen mit den Wimpern klimperte.

Edwin Aldrin konnte da nicht mithalten. Er hatte zwar ebenfalls blaue Augen und war gut durchtrainiert. Doch auf seinem Kopf sprossen nur wenige kurzgehaltene blonde Haare. Dafür wirkte er sehr freundlich und bot den Kindern an, ihn einfach «Buzz» zu nennen.

«Das ist aber ein komischer Name», rutschte es Lilly heraus. Hastig schlug sie sich die Hand vor den Mund. Buzz Aldrin war ihr aber keineswegs böse.

«So hat mich meine kleine Schwester immer genannt, als sie noch ein Baby war», erklärte er. «Sie konnte *brother* nicht richtig aussprechen und hat immer nur *buzzer* gesagt. Daraus habe ich dann *Buzz* gemacht. Klingt doch gut, oder?»

Lilly machte kurz «Hmmhmm» und nickte eifrig. Insgeheim war sie der Meinung, dass *Buzz* sich reichlich albern anhörte. Aber dass jemand seinen Spitznamen lieber mochte als den echten Namen, konnte sie nur zu gut nachvollziehen. Immerhin hieß sie selbst ja auch Lilith. Doch wer sie so anredete, war auf der Stelle bei ihr unten durch.

«Hör mal, Michael», sagte nun Neil Armstrong. «Du musst deinen Besuch zwischendurch bei Gene parken. Wir werden im Konferenzraum zu einer Besprechung erwartet.»

«Kein Problem», antwortete Michael Collins. «Wir sind sowieso gerade unterwegs zum Mission Control Center.»

«Hat mich sehr gefreut», verabschiedete sich Neil Armstrong von ihnen, und Buzz Aldrin tat im Weitergehen so, als würde er mit zwei Revolvern auf sie schießen.

«Wer ist Gene?», fragte Albert neugierig.

«Gene Kranz – der Flugdirektor», antwortete Michael Collins. «Oder wie er selbst vielleicht sagen würde: während eines Fluges die Person, die am zweitmeisten zu bestimmen hat.» Er öffnete eine Tür, die in einen leicht abgedunkelten Raum führte.

«Und wer steht dabei an erster Stelle?», wollte Albert wissen, während er hineinrollte.

«Der liebe Gott!» Eine energische Stimme aus dem Halbschatten hatte die Antwort gegeben. «Und das meine ich ernst! Solange die Jungs den Kontakt zum Boden verloren haben, kann mir nicht einmal der Präsident etwas befehlen. Dann treffe ich die Entscheidungen. Hinterher können sie mich immer noch feuern. Ist doch fair, oder?»

Ein Mann mit kantigem Gesicht und Bürstenhaarschnitt kam auf sie zu. Außer dem anscheinend in dieser Zeit üblichen Anzug mit Krawatte trug er noch eine Weste, die ihm seltsamerweise ein sportliches Aussehen gab. Er streckte ihnen seine Hand entgegen.

«Ihr könnt *Flight* zu mir sagen. So nennen mich alle, wenn die Mission läuft.»

«In Ordnung, Flight», gaben Lilly und Tante Amelie zurück. Nur Albert nicht. Er war zu sehr mit Staunen beschäftigt. Denn vor ihnen erstreckte sich kein normales Zimmer, sondern ein riesiger Raum, etwa so groß wie die Aula an Alberts Schule. Statt einer Bühne gab es hier jedoch gigantische Leinwände, auf die rätselhafte Computeranzeigen projiziert waren, eine Weltkarte mit schräg verlaufenden Linien und ein Bild des Mondes. Davor erhoben sich vier lange Reihen mit den Arbeitsplätzen der Flugleiter. Jeder von ihnen hatte mindestens einen Computerbildschirm vor sich, ein Schaltpult voller blinkender Lichter und Schalter und Schreibmaterial. Auf den Köpfen trugen sie klobige Kopfhörer mit angesetzten Mikrophonen. Angestrengt verfolgten sie die flackernden Anzeigen.

«Wow!», machte Albert schließlich ehrfurchtsvoll.

«Das ist ein bisschen aufgemotzter als unser Keller, wie?», flüsterte Lilly ihm zu.

«Wir führen gerade eine Simulation durch», erklärte ihnen Gene Kranz. «Kommt mit auf meinen Platz und schaut zu, wie wir den Adler zum Mond bringen wollen.»

«Ich hole euch in einer Stunde wieder ab», kündigte Michael Collins an und verschwand.

Der Flugdirektor packte die Griffe von Alberts Rollstuhl und zog ihn in die vorletzte Reihe, die etwas erhöht war und den besten Überblick bot. Dort stellte er sich in die Mitte und setzte sich seinen Kopfhörer schräg auf, sodass ein Ohr frei blieb.

«O.K., weiter im Text», sprach er in das Mikrophon. «Wie ist der Status?»

«Hier Flight Dynamics. Alle Systeme innerhalb normaler Parameter und auf GO!»

«Retrofire. Alles im grünen Bereich und auf GO!»

«Bei Guidance alles in Ordnung und auf GO!»

Eine Meldung nach der anderen ging ein, und alle endeten mit einem *GO*!

«Ich verstehe nur Bahnhof!», beschwerte sich Lilly leise. «Was soll das denn bedeuten?»

«Dass alles nach Plan läuft», flüsterte Albert ihr zu. Er hatte sich wie bei all ihren Zeitreisen zuvor gründlich im Internet schlaugemacht. «Jeder von den Leuten dort ist für einen Teil der vielen Geräte in der Rakete und der Raumkapsel zuständig. Auf seinen Bildschirmen sieht er die Daten. Und wenn es Probleme gibt, muss er sofort Alarm schlagen.»

«Kluger Junge!», lobte ihn Flight. Anscheinend war er so gut darin trainiert, dem Durcheinander der vielen Meldungen zu folgen, dass er mühelos auch noch Albert zugehört hatte.

«Wie wär's? Hättest du Lust, auch mal ein Kommando zu geben?»

Albert hatte das Gefühl, sein gesamtes Blut würde augenblicklich den Kopf verlassen und in die Füße sinken. Er bewegte zwei-, dreimal den Mund, brachte aber keinen Ton heraus.

«G-gerne», krächzte er endlich.

«Na, dann sag mal *GO für TLI!*» Der Flugdirektor hielt ihm sein Mikrophon hin.

«GO für ... was?» Alberts Finger krampften sich um die Armlehnen seines Rollstuhls. Auf seiner Stirn bildeten sich kleine Schweißtröpfchen.

«TLI!», wiederholte Flight. «Das ist unsere Abkürzung für *translunaren Einschuss*. Wenn es also aus der Erdumlaufbahn weitergeht in Richtung Mond.»

«G-GO f-für TLI!», stotterte Albert ins Mikro. Eine hektische Betriebsamkeit setzte auf den Plätzen vor ihnen ein.

Wieder prasselten unzählige Meldungen auf sie los.

«Triebwerk gezündet, brennt gleichmäßig.»

«Orbit erfolgreich verlassen.»

«Noch drei Sekunden bis Ende des Brennvorgangs. Zwei. Eins.»

Es machte leise klack!, und dann wurde es zappenduster auf den Monitoren.

«O-oh, war ich das?», fragte Albert kleinlaut und ängstlich in die Stille hinein.

«Das darf doch nicht wahr sein!», rief der Flugdirektor zornig aus. «Schon wieder ein Computerausfall! Das ist schon der dritte heute. Was ist da los?»

Betretenes Schweigen antwortete ihm. Einige Flugleiter fuhren sich mit den Händen übers Gesicht.

«Flight, ich bin die Schaltungen nach dem zweiten Ausfall alle durchgegangen», meldete sich schließlich einer der Flugleiter. «Es war alles in Ordnung. Das hier kann unmöglich eine normale Störung sein.»

«Nicht?», donnerte der Flugdirektor. «Woran liegt es dann?»

Ein paar Sekunden lang gab der Mann keine Antwort. Dann schluckte er und presste hervor: «Ich glaube, es war Sabotage! Jemand hat sich absichtlich am Hauptcomputer zu schaffen gemacht, um unseren Flug zum Mond zu verhindern.»

Keiner der Anwesenden wagte, einen Atemzug zu machen. Zu ungeheuerlich war der Gedanke, dass ein Verräter absichtlich die jahrelangen Anstrengungen zunichtemachen wollte. Mehr noch – das Leben der drei Astronauten riskierte. Denn sobald die sich auf dem Weg zum Mond befanden, war ihr Leben von einem funktionierenden Computer abhängig. Kein Mensch konnte allein mit Papier und Bleistift schnell genug die Flugbahn berechnen. Das schaffte nur der Computer. Und ausgerechnet auf den hatte es offenbar ein Saboteur abgesehen.

Der Flugdirektor zögerte nur wenige Sekunden. Dann griff er zum Hörer eines Telefons an seinem Platz und verständigte den Sicherheitsdienst.

«Eines verspreche ich euch», sagte er nach dem Gespräch zu seinen Leuten. «Wer auch immer dafür verantwortlich ist, wir werden ihn kriegen und bestrafen. Und wenn ich persönlich jeden Einzelnen überprüfen muss.»

Mit bedrückten Mienen stimmten ihm die Männer zu. Lilly atmete scharf durch die Zähne aus. Sie konnte kaum glauben, dass sie heute Morgen befürchtet hatte, der Rundgang durch das Kontrollzentrum würde langweilig werden. Im Gegenteil – jetzt schien sich hier ein wahrer Krimi anzubahnen. Und ehe sie sich versahen, steckten sie selbst, Albert und Tante Amelie mittendrin.

Keiner hatte sie kommen sehen. Plötzlich standen links und rechts von ihnen große, kräftig gebaute Männer mit Gewehren in den Händen. Ein Offizier baute sich vor Tante Amelie, Lilly und Albert auf und sah sie finster an.

«Was soll das, William?», fragte Gene Kranz. Er war ebenso überrascht wie die drei Zeitreisenden.

«Tut mir leid, Gene», sagte der Anführer, doch er klang keineswegs so, als ob er die Aktion wirklich bedauern würde. «Aber wir haben unsere Befehle. Du hast selbst gemeldet, dass wir einen Saboteur oder Spion auf dem Gelände haben. Und deine drei Gäste sind momentan die einzigen Personen, die nicht zur NASA oder zum Sicherheitsdienst gehören.»

Er wandte sich nun direkt an Tante Amelie.

«Madam, ich muss Sie und die Kinder auffordern, uns zu folgen», sagte er in scharfem Ton.

«Soll das heißen, wir sind verhaftet?», fragte Tante Amelie. Albert spürte, wie sie ihm beruhigend eine Hand auf die Schulter legte. Aber das half nichts. Sein Herz pochte einen wilden Tango, sein Atem ging ganz flach, und sein Mund war staubtrocken.

«So gut wie», antwortete der Offizier. «Wir bringen sie erst mal zum Verhör. Alles Weitere wird sich danach entscheiden.»

Die Zukunft in der Garage

Magnus ahnte nicht, in welcher Klemme seine Freunde steckten. Er lag in der Garagenwerkstatt des NASA-Technikers Phil Screwer auf einem Rollbrett am Boden und hatte alle Hände voll zu tun. Genau genommen nicht nur die Hände. Die beiden Bastler waren nämlich gerade damit beschäftigt, das Grundgerüst für den Rennrollstuhl zu bauen, den sie zusammen für Albert entworfen hatten. Es sollte der schnellste, raffinierteste, modernste und überhaupt allerbeste Rollstuhl werden, den es auf der Welt gab. Ausgestattet mit lauter nützlichen Tricks und Zusatzfunktionen, die ein Abenteurer auf Rädern immer mal brauchen konnte. Aus Materialien und Bau-

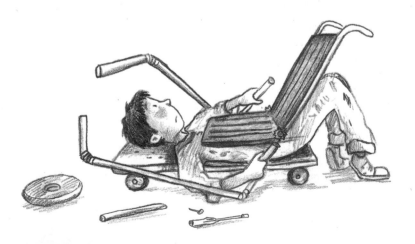

teilen, die Phil von seiner Arbeit an den Raketen und Raumkapseln übrig hatte.

Den Grundstock für dieses Wunderwerk der Technik bildete ein Rahmen aus superleichtem Aluminium. Magnus hielt mit beiden Händen die Seitenteile fest, während die spätere Sitzplatte auf seinem Bauch lag und er die Rückenlehne mit den Knien balancierte. Phil wirbelte um ihn herum und schraubte die Teile aneinander.

«Kannst du dich nicht etwas beeilen?», ächzte der Junge. Seine Beine begannen leicht zu zittern. «Ich kann die Dinger nicht mehr lange in Position halten.»

«Iff maffe fo fnell iff kann», antwortete Phil undeutlich. Er hatte sich mehrere Schrauben zwischen die Lippen geklemmt und nahm nun die nächste heraus, die er in eine Bohrung der Sitzplatte steckte. «Aber du mufft ftillhalten. Fonft wird allef ganf fief.»

Magnus schnaufte. Phils Werkstatt war wirklich spitzenmäßig ausgestattet. Es gab Sägen, Hämmer, Feilen, Raspeln, Schraubenschlüssel, Lötkolben, Schweißgeräte, Trennschleifer, Voltmeter, Oszilloskope, regelbare Spannungsquellen, Sinusgeneratoren und alles, was das Bastlerherz begehrte. Mit einer Ausnahme: Aus unerfindlichen Gründen besaß Phil keine Klemmen, Schraubzwingen oder andere Geräte, die ein Bauteil auf seinem Platz fixierten. Darum musste Magnus diese Aufgabe übernehmen, und ihm wurde mit jeder Sekunde bewusster, wie anstrengend so ein scheinbar leichter Job werden konnte.

«Fertig!», sagte Phil endlich. Die Schrauben aus seinem Mund waren alle angebracht. «Du kannst jetzt loslassen und aufstehen.»

Magnus pustete erleichtert aus. Er ließ seine Arme und Beine zu Boden fallen und lag einen Moment da wie ein Frosch, der mitten im Sprung von einem metallenen Briefbeschwerer erwischt worden war.

«Sieht prima aus», meinte Phil, der ihr gemeinsames Werk begutachtete. Er ging hinüber an die Wand, wo der Konstruktionsplan hing, den die beiden angefertigt hatten. «Und als Nächstes ...»

«... schraubst du das Gestell am besten wieder auseinander», vollendete Magnus seinen Satz.

«Wieso das denn?»

Der NASA-Techniker verstand nicht, was Magnus meinte. Bis er sich umdrehte und im ersten Moment glaubte, einem halbfertigen Roboter gegenüberzustehen. Dann erkannte er Magnus, der sich aufgerichtet hatte und vor dessen Bauch das Gerüst des Rollstuhls baumelte.

«Du hast eine der Stangen durch die Gürtelschlaufe von meiner Hose geschoben», erklärte Magnus. «Nun hängt das Zeug an mir fest.»

«Hmm, das ist unpraktisch, oder?», überlegte Phil Screwer und fuhr sich mit den Fingern durch die Haare.

«Ziemlich!», bestätigte Magnus mit Nachdruck. Er legte sich erneut auf das Rollbrett. «Vielleicht müssen ja nicht alle Schrauben ab. Aber so eng bin ich nun auch wieder nicht mit Albert befreundet, dass ich regelrecht an seinem Sitz festgenietet sein möchte.»

Merlin befand sich unterdessen auf einem Patrouillenflug durch die Nachbarschaft. Ihm kam die Siedlung ziemlich eintönig vor, da alle Häuser fast völlig gleich aussahen. Es gab eigentlich nur zwei Varianten: die normalen Wohnhäuser und jene mit einem Wust zusätzlicher Antennen, mit denen man bestimmt direkt den Funkverkehr zu den Raumfähren empfangen konnte. Auch Phil Screwer hatte so einen Irrgarten aus Draht und Stangen auf seinem Dach. Merlin hatte eine Weile darauf gedöst, bevor er zu seiner Runde aufgebrochen war. Irgendwo musste es doch eine Gelegenheit zum Spielen geben. Aber so sehr er auch die Gegend absuchte – er fand nichts, was ihm ein wenig Spaß versprach.

Hätte er bloß die Sträucher zwischen den Häusern genauer unter die Lupe genommen. Denn kaum war er über eine dieser Hecken hinweggeflogen, lugte eine feuchte Nase daraus hervor. Sie bahnte sich einen Weg ins Freie, sodass ein kurzbeiniger, länglicher Hund sichtbar wurde. Linus hatte den Vogel auf den ersten Blick erkannt. Und er wusste ganz genau, dass er zu den Menschen gehörte, die ihm und seiner Bande gestern die Jagd auf die Collins-Kinder vermiest hatten. Dafür musste er sich unbedingt rächen, wenn er seinen Ruf als Schrecken der Vorstadt wahren wollte. Vorsichtig lief er der Dohle nach. Sorgsam darauf achtend, dass er selbst nicht entdeckt wurde. Bestimmt würde sie ihn zu diesen Menschen führen. Und dann sollten sie seine scharfen Zähne zu spüren bekommen.

Außer Linus war noch jemand nicht gut auf die Zeitreisenden zu sprechen. Robert Pencil war am Morgen heimlich mit seinem klapprigen Kleinwagen dem Auto von Michael Collins gefolgt. Aber als der Astronaut mit Tante Amelie, Lilly und Albert die Absperrung um das Manned Spacecraft Center passierte, blieb dem Reporter nichts anderes übrig, als unverrichteter Dinge umzukehren. Ihm war klar, dass die Wachen strikte Anweisung hatten, ihn nicht hineinzulassen, seitdem er einmal nachts über den Zaun geklettert und dummerweise direkt einer Streife vor die Füße gesprungen war. Drei Stunden hatte das Verhör gedauert, bis der wachhabende Offizier ihm nach einem Anruf bei seiner Zeitung endlich geglaubt hatte, dass er kein Spion war. Im hohen Bogen hatten sie ihn hinausgeworfen und sein Foto wie einen Steckbrief an allen Eingängen aufgehängt, mit der Unterzeile: «Zutritt für diese Person strengstens verboten!»
Eine kleine Chance auf einen Sensationsbericht

blieb Robert Pencil allerdings noch. Eines der fremden Kinder war nicht mitgefahren zum Kontrollzentrum, sondern mit einem anderen Erwachsenen
unterwegs. Zwar wusste Pencil nicht den Namen
dieses rothaarigen Mannes, aber er hatte sich
das Nummernschild seines Autos notiert.
Damit brauchte er nur seinen Freund
in der Polizeizentrale anzurufen, und
schon hatte er die Adresse. Bestimmt
würde es sich lohnen, dort ein paar
versteckte Recherchen durchzuführen.
Denn irgendwo, da war Robert Pencil
sicher, hatte jeder ein Geheimnis,
das eine Schlagzeile wert wäre.

Zurück bei Phils Garage, konnte
Merlin einige Veränderungen

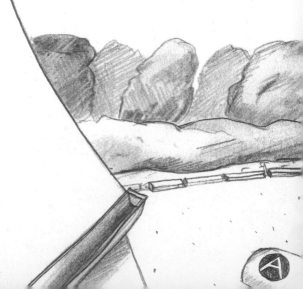

bewundern. Die Bastler hatten ihre Aktivitäten inzwischen wegen des schönen Wetters nach draußen verlegt. Sie hatten das Aluminiumgestell auch schon mit Rädern versehen, wodurch es endlich wenigstens wie das Skelett eines Rollstuhls aussah. Von seinem Aussichtspunkt auf der höchsten Antenne aus beobachtete Merlin, wie Phil und Magnus mit einem Mechanismus aus Schläuchen und Ventilen hantierten. Anscheinend klappte dabei nicht alles auf Anhieb, denn ab und zu machte sich einer der Schläuche selbständig und tanzte wie die Schlange eines Schlangenbeschwörers über die Auffahrt. Dabei spritzte er eine ölige Flüssigkeit herum, auf der Magnus immer wieder laut fluchend ausrutschte.

Schließlich schienen sie ihr Ziel erreicht zu haben, denn die beiden schlugen freudestrahlend die Hände aufeinander. Doch das Klatschen war an-

scheinend einen Tick zu laut für ihr Werk. Ploppend rutschten gleich vier Schläuche aus ihren Halterungen, und ein Ölregen ergoss sich über Phils Auffahrt, den Vorgarten und die umliegenden Büsche.

«Halt sie fest!», brüllte Phil. Er stürzte sich auf einen der zuckenden Schläuche, der sich mit einer ordentlichen Ladung Schmiere wehrte.

«Die sind so furchtbar glitschig», beschwerte sich Magnus, dem der zweite Schlauch ständig aus den Fingern rutschte. Der dritte wickelte sich um seine Beine, und – WUMMS! – saß er auf dem Hosenboden.

Auch Phil schlitterte herum und schrie dabei laut: «WUAAAAA!», bis ihm ein Strahl Öl direkt in den Mund schoss. Spuckend ließ er seinen Schlauch los.

Merlin sah sich das Spektakel einen Moment an und wollte dann vorsichtshalber auf einen weiter hinten liegenden Teil des Daches hüpfen. Da fiel ihm eine Bewegung auf, die weder von Phil und Magnus noch von ihrer unfertigen Bastelei ausging. Es war etwas hinter den Büschen. Nein, nicht *etwas*, sondern *jemand*. Ganz ruhig und unauffällig hockte dort an der Grenze zum Nachbargrundstück ein Mann und spähte die Rollstuhlkonstrukteure bei ihrer Arbeit aus. Bis ihn plötzlich ebenfalls eine Ölfontäne eindeckte und er sich langsam hinter seinem Versteck erhob. Leicht nach vorn gebeugt, schaute er an seinem besudelten Anzug hinab. Merlin schlug aus lauter Vorfreude mit den Flügeln. Es war der Reporter, der gestern so schön mit ihm gespielt hatte.

Sofort schwang der Vogel sich in die Luft und ging zum Angriff über. Es war kein leichtes Flugmanöver, denn Merlin musste aufpassen, dass er nicht ebenfalls eine Öldusche abbekam. Im Zickzack sauste er auf sein Opfer zu und wollte gerade zuhacken, als Robert Pencil unvermittelt in die Luft sprang und dabei laut «AUA!» schrie. Merlin ruderte erschrocken rückwärts mit den Flügeln. Was war denn nun los? Hatte der Mann ihn etwa entdeckt und wollte ihn verscheuchen?

Aber der Reporter schien sich gar nicht für die Dohle zu interessieren. Er hatte das Gesicht zu einer Fratze verzogen und lief jaulend im Kreis. Dabei schlug er mit den Händen an seinen Hosenboden, wo ein schmutziger länglicher Hund mit Stummelbeinen sich festgebissen hatte. Linus hatte beim Anblick des herausgestreckten Hinterteils einfach nicht widerstehen können und zugefasst. In wilden Sprüngen hüpfte das Gespann durch den Nachbargarten und sauste schließlich die Straße hinunter. Merlin schaute ihnen wütend nach. Er fand das Verhalten des Hundes reichlich unsportlich. Wenn er so gerne spielen wollte, sollte er sich gefälligst einen eigenen Partner suchen. Ihm seinen Reporter wegzunehmen war jedenfalls höchst unfair. Beleidigt flog er wieder auf seinen Antennenplatz zurück. Nun konnte er nur noch hoffen, dass bei Magnus und Phil endlich mal etwas Interessantes passierte.

Nichts für schwache Mägen

Lilly schloss einen Moment lang fest die Augen und schlug sie dann wieder auf. Mist! Sie hatte sich das alles nicht nur eingebildet. Neben ihr stand tatsächlich ein schwerbewaffneter Wachmann und auf der anderen Seite von Tante Amelie und Albert noch einer. Soeben hatte ihr Anführer verkündet, dass sie unter Spionageverdacht standen und zum Verhör gebracht werden sollten. *Na, super!*, dachte Lilly. *Das war's dann wohl für uns mit den Astronauten und dem Mondflug. Bestimmt wird die Landung nicht einmal per Fernsehen in die Gefängniszellen übertragen.*

«Gehen wir!», kommandierte der Offizier und gab seinen Männern mit einem knappen Kopfnicken den Befehl, die Gefangenen abzuführen.

«Augenblick, William!» Flugdirektor Gene Kranz stellte sich entschlossen dem kleinen Trupp in den Weg. «Das ist doch hanebüchener Unfug», sagte er. «Wie sollen denn eine Frau und zwei Kinder einfach so alle Sicherheitssperren überwunden und unser Computersystem sabotiert haben?»

«Diese Frage wird das Verhör klären», antwortete der Offizier.

«Aber die drei waren keine Sekunde allein», beharrte Flight. «Erst hat Michael sie herumgeführt, und seitdem sind sie mit mir zusammen gewesen. Selbst ein Meisterspion hätte unter diesen Umständen nichts ausrichten können.»

«Das ist nicht meine Entscheidung, Gene», knurrte der Offizier, der langsam die Geduld verlor. «Und deine auch nicht.»

«Wessen Entscheidung ist es dann?» Der Flugdirektor hasste es zutiefst, wenn jemand ihm in seinem Kontrollraum etwas vorschreiben wollte. Und einfach Leute unter seinen Fingern weg zu verhaften war in seinen Augen eine extreme Art von Vorschrift.

«Die Verantwortung liegt beim wachhabenden Offizier», sagte der Soldat.

Flight griff zum Telefon.

«Nur einen Moment!», sagte er zu den Sicherheitsleuten, und der Klang seiner Stimme ließ keinen Widerspruch zu. Er wählte eine Nummer, wartete kurz und verlangte dann, den wachhabenden Offizier zu sprechen. Zwei Sekunden später hatte er den Mann am anderen Ende der Leitung. Und in der darauf folgenden Minute erfuhren Albert, Lilly und Tante Amelie, warum ausgerechnet Gene Kranz der Flugdirektor für diese Mission war und die Verantwortung für den Mondflug tragen würde. Er sprach langsam und deutlich, wurde kein bisschen laut, und dennoch hatte man den Eindruck, als würde der ganze Raum, das Gebäude oder sogar das gesamte Raumfahrtzentrum von seinen Worten widerhallen. Am Ende der Minute hielt er dem Offizier neben sich den Telefonhörer hin und sagte: «Dein Chef hat dir eine Mitteilung zu machen.»

Unsicher nahm der Mann den Hörer entgegen und hielt ihn sich ans Ohr. Er lauschte einige Sekunden, dann nahm er Haltung an und schnarrte: «Jawohl, Sir!» Der Flugdirektor nahm ihm den Hörer wieder ab und legte ihn auf die Gabel. Er blickte erwartungsvoll den Offizier an.

«Ich bitte um Entschuldigung!», sagte dieser zu Tante Amelie. «Offenbar liegt ein Missverständnis vor. Sie sind selbstverständlich nicht verhaftet.»

Er salutierte knapp, gab seinen Leuten ein Zeichen, und die Männer verschwanden so schnell, wie sie aufgetaucht waren.

«Uff!», schnaufte Lilly, die zwischendurch immer wieder vor Anspannung die Luft angehalten hatte. «Das war knapp.»

«Ja», bestätigte Albert. Ihm war immer noch mulmig zumute. «Wenn Flight uns nicht geholfen hätte ... Mensch, ich glaube, wenn der mit mir so reden würde, könnte er mir sogar befehlen, mit meinem Rollstuhl zum Mond zu fliegen, und ich würde es machen.»

Magnus kaute nervös auf seiner Unterlippe herum, als Albert und Lilly ihm am Abend von der Verhaftung erzählten. Er hatte gleich bei seiner Rückkehr von Phil gemerkt, dass etwas Außergewöhnliches passiert war, und seine Freunde mit Fragen zu dem Kontrollzentrum, der Simulation des Mondflugs und natürlich der Sabotage am Computersystem bestürmt.

«Mensch, meint ihr, die blasen das ganze Unternehmen ab, wenn sie den Schuldigen nicht finden?», überlegte er.

«Nee, auf keinen Fall!», winkte Albert ab. «Wir wissen doch sicher, dass es stattgefunden hat. So steht es in unserer Zeit in den Büchern und im Internet.»

«Außerdem bin ich stinkwütend auf den wahren Täter, dass wir nur seinetwegen solchen Ärger bekommen haben», fauchte Lilly mit geballten Fäusten. «Am liebsten würde ich ihn selbst fangen, und dann könnte der aber was erleben!»

Tante Amelie grinste verschlagen.

«Daran habe ich auch schon gedacht», gestand sie. «Und vielleicht ergibt sich ja wirklich eine Gelegenheit dazu. Immerhin war der Flugdirektor so begeistert von Albert, dass er ihn eingeladen hat, im Kontrollzentrum vorbeizukommen, wann immer er will. Und auf unsere Lilly wartet in der nächsten Woche eine Lektion von der sportlichen Seite des Astronautentrainings.»

«Wenn ich Glück habe!», schränkte Lilly ein. Sie erinnerte sich daran, dass Michael Collins ihr den Flug im «Kotzbomber» nicht fest versprochen hatte.

«Jedenfalls sind wir von nun an öfter an den wichtigen Stellen zu finden», fuhr Tante Amelie fort. «Und dort werden wir alle Adler- und Hühneraugen aufsperren. Wäre doch zum Gackern, wenn wir dabei nicht so einen durchtriebenen Saboteur aufstöbern könnten.»

Mit klopfendem Herzen bemerkte Magnus die entschlossenen Blicke von Tante Amelie und seinen Freunden.

In der folgenden Woche gab es jedoch keine weiteren Pannen oder Störfälle. Und so war der nächste Höhepunkt ihres Besuchs Lillys Astronautentraining. Ganz früh morgens holte Michael Collins sie für den Trip zum Kennedy Space Center in Florida ab. *Kennedy*, fiel ihr auf, damit war bestimmt wieder der Präsident gemeint, dessen Nachnamen sie sich geborgt hatten. Der musste wirklich bei den Raumfahrern einen dicken Stein im Brett haben, wenn sie sogar ihren Raketenstartplatz nach ihm benannten.

Die Reise nach Florida begann genau nach Lillys Geschmack. Die Astronauten pendelten nämlich nicht mit einem gewöhnlichen Passagierflugzeug zwischen ihren Ausbildungsorten hin und her, sondern mit T-38-Düsenjägern, in denen es nur zwei

Sitze gab. Neil Armstrong und Buzz Aldrin, die ebenfalls für das Training nach Florida mussten, flogen mit der einen Maschine, und Michael Collins nahm mit Lilly die andere. Schneller als der Schall brausten sie über den Himmel, und kurz vor der Ankunft baute Michael Collins sogar einen Looping und ein paar Rollen ein.

«War das ein Kotzbomber?», fragte Lilly nach der Landung mit leuchtenden Augen.

«Nein, das Ruckeln und Wackeln kam nur daher, dass Michael so ein lausiger Pilot ist», antwortete Neil Armstrong ihr. Aber an seinem breiten Grinsen erkannte sie, dass die Bemerkung scherzhaft gemeint war. In Wirklichkeit waren alle Astronauten erfahrene und extrem gute Piloten. Die meisten hatten früher sogar als Testpiloten gearbeitet, also Flugzeuge ausprobiert, die noch gar nicht richtig fertig entwickelt waren.

«Und was ist dann ein Kotzbomber?», bohrte Lilly nach.

«Schlimmer!», sagte Buzz Aldrin daraufhin nur. Und seine beiden Kollegen nickten zustimmend.

Zu viert schlenderten sie gemütlich über den Militärflugplatz, der gleich neben dem Raketenstartplatz lag. Lilly verrenkte sich fast den Hals, so sehr streckte sie sich, um einen Blick auf eine Mondrakete zu erheischen. Doch alles, was sie sehen konnte, war ein gewaltiger weißer Würfel, der bestimmt so hoch war wie der Kölner Dom.

«Das Ding ist höher», korrigierte Neil Armstrong sie, der anscheinend ihre Gedanken gelesen hatte. «Ganze 160 Meter hoch. Und es hat die größten Türen der Welt: 139 Meter! Es dauert eine Dreiviertelstunde, sie voll zu öffnen.»

«Und wofür braucht man so ein Monstrum?», wollte Lilly wissen. Soweit sie das beurteilen konnte, hatte der Würfel nicht einmal Fenster. Ein Haus zum Wohnen war es also bestimmt nicht.

«Da drin werden die Raketen zusammengebaut», erklärte ihr Buzz Aldrin. «Die sind nämlich so lang, dass sie auseinanderbrechen würden, wenn man sie liegend montieren und dann aufrichten würde.»

«Ja, und wir dachten, es wäre kein gelungener Start, wenn unsere Rakete schon zu Anfang windschief wie ein Hexenhaus auf der Rampe stehen würde», scherzte Michael Collins.

Lilly lachte mit den Astronauten. So langsam bekam sie ein Gespür für die Witze, die sie machten. Man tat einfach so, als würde man sich über seine Freunde oder die Technik lustig machen. Dabei waren sie reichlich stolz aufeinander und auf ihre Jobs. *Zum Mond zu fliegen hat ziemlich viel mit Zeitreisen gemeinsam*, überlegte sie.

Ihr kleiner Fußmarsch endete an einem flachen Gebäude, das Buzz Aldrin als ihre Schneiderei bezeichnete.

«Erdgeschoss – Raumanzüge, Mondhelme und klobige Handschuhe», kündigte er mit verstellter

Stimme an, die klang wie in den Fahrstühlen von großen Kaufhäusern.

«Was machen wir hier?», fragte Lilly. Sie luscherte nach links und rechts, ob irgendwo etwas steckte, das ein «Kotzbomber» sein konnte.

«Also, du wartest in erster Linie darauf, dass dich zwei Leute abholen für dein versprochenes Training. Die dürften bald hier auftauchen», antwortete Michael Collins. «Und solange kannst du zusehen, wie wir uns zur Probe in die unbequemsten Anzüge aller Zeiten quälen.»

«Unbequemer als ein Kleid?» Lilly mochte das kaum glauben.

«Ich hatte ja noch nicht viele Kleider an», knurrte Buzz Aldrin, als sie an eine Tür klopften und in das dahinterliegende Zimmer traten. «Aber störender als so ein Ding aus 500 Teilen, das über 23 Kilogramm wiegt, werden die wohl nicht sein.»

Lilly legte ungläubig die Stirn in Falten. 500 Teile? Das war sicherlich wieder einer dieser Scherze. Aber dann wurden ihre Augen immer größer, als Neil Armstrong begann, seinen Raumanzug anzuziehen. Es fing ganz harmlos mit einer dünnen Schicht eines speziellen Stoffs an. Ihr folgten eine zweite Lage, dann eine dritte und eine vierte. Der eigentlich schlanke Mann wurde immer dicker, bis er kaum noch durch die Zimmertür passen würde. Die äußerste Schicht des Anzugs war strahlend weiß, und am Bauch schauten mehrere blaue und orangefarbene Öffnungen mit Ventilen heraus, die den Deckeln von eingebauten Thermoskannen ähnelten. Der Kragen und die Ärmel endeten in metallischen Ringen. Ein Techniker half beim Anziehen der dicken Handschuhe und des Helms, der tatsächlich ein wenig aussah wie ein umgedrehtes Goldfischglas.

Ein weiterer Techniker schloss einen Schlauch an zwei der Ventile an.

«Nun lebt der gute Neil in seiner eigenen Welt», sagte Michael Collins. «So ein Anzug ist praktisch ein eigenes kleines Raumschiff. Durch die Schläuche geht die Atemluft rein und raus, und mit uns reden kann Neil jetzt nur noch per Sprechfunk.» Neil Armstrong grinste ihnen zu. Dann verzog sich plötzlich sein Gesicht zu einer Fratze.

«Verflixt!», schimpfte er. Seine Hände fuhren hoch zum Gesicht und prallten gegen das Helmglas. Er schüttelte heftig den Kopf. Um ihn herum gerieten die Techniker in Hektik. Sie kontrollierten ihre Messgeräte, doch alle Anzeigen standen auf normal. Trotzdem schien Armstrong in ernsthaften Schwierigkeiten zu stecken.

«Was ist los, Neil?», fragte Buzz Aldrin besorgt. «Bekommst du keine Luft? Gibt es einen Kurzschluss in der Elektrik des Anzugs?»

«Nein, das alles nicht», quäkte der Lautsprecher, der mit der Funkanlage verbunden war.

«Wo liegt dann das Problem?», fragte Buzz weiter.

«Meine Nase!», tönte der Lautsprecher. «Sie juckt ganz fürchterlich. Und ich kann sie unter dem Helm nicht kratzen.»

Erleichtert brachen die Männer und Lilly in lautes Lachen aus. Sie schraubten dem armen Astronauten den Helm ab, und Neil Armstrong griff sich mit den dicken Handschuhen einen Schraubenzieher, mit dem er ausgiebig seine Nase kratzte.

«He, ihr habt hier Spaß, und uns sagt keiner Bescheid?» Zwei junge Männer in blauen Overalls standen grinsend in der Tür.

«Wir sollen hier einen kleinen Passagier abholen», sagte der eine von ihnen und schaute Lilly dabei freundlich an.

«Das sind Tim und Tom», stellte Michael Collins die beiden vor. «Kein Astronaut mag sie, weil sie jeden von uns in seinen übelsten Momenten gesehen haben.»

«Dabei sind wir doch wirklich nette Kerlchen», tat Tim so, als ob er beleidigt wäre.

«Und außerdem haben wir mehr Arbeit mit euch als ihr mit uns», verteidigte sich Tom.

«Willst du immer noch eine der abenteuerlichen Lektionen des Astronautentrainings erleben?», fragte Michael Collins. Diesmal sprach er ganz ernsthaft zu Lilly. Sie nickte entschlossen. Genau dafür war sie ja hier!

«Dann geh mit den beiden mit», sagte Michael Collins. «Und in zwei Stunden sehen wir uns wieder.»

Lilly setzte sich, ohne zu zögern, in Bewegung, und zwischen den beiden Männern marschierte sie hinaus auf das Flugfeld. Tim und Tom steuerten direkt auf eine große Düsenmaschine zu. Das Flugzeug sah herzlich wenig spektakulär aus. Fast wie ein Urlaubsflieger, bei dem die Fenster fehlten.

«Ist das etwa ein Kotzbomber?», fragte Lilly ein bisschen enttäuscht.

Tim rümpfte die Nase. «Es ist eine KC-135. Normalerweise dient so ein Typ als Tankflugzeug, das andere Jets in der Luft mit Treibstoff versorgt.»

«Aber dieser ist ein wenig umgebaut», ergänzte Tom. «Und manche Leute, die sich nicht mit ihm anfreunden können, nennen ihn tatsächlich Kotzbomber.»

Na, toll!, dachte Lilly, während sie die Gangway hinaufkletterte und in den Rumpf des Fugzeugs stieg. *Das wird bestimmt so langweilig wie ein Flug in den Süden.* Dann stutzte sie.

«Hier gibt es ja gar keine Sitze!», wunderte sie sich. Vor ihr lag das leere Innere wie eine breite, lange Röhre, die mit weißem Schaumstoff ausgepolstert war. Lampen hinter weißen Kunststoffabdeckungen spendeten ein helles Licht. Alle paar Meter ragte eine rote Seilschlaufe aus der Polsterung hervor. Das war die gesamte Einrichtung.

«Sitze würden uns nur stören», antwortete Tim.

Er schloss hinter sich die Tür und verriegelte sie. Über ein Sprechfunkgerät gab Tom dem Piloten ein Signal, dass es losgehen konnte. Lilly hörte, wie die Turbinen anliefen. Tim reichte ihr einen blauen Overall.

«Zieh den besser über deine anderen Sachen drüber», sagte er. «Nicht, dass wir später die Rechnung von der Reinigung bekommen.»

Lilly schlüpfte in den Overall. Als die Maschine auf die Startbahn rollte, krempelte sie die überstehenden Ärmel und Hosenbeine zweimal um.

«Festhalten!», kommandierte Tom.

Alle drei legten sich auf den gepolsterten Boden und krallten sich an den roten Schlaufen fest. Weil es keine Fenster gab, konnte Lilly nicht sehen, wann sie abhoben. Sie spürte es nur daran, dass sich das Flugzeug allmählich schräg nach oben legte. In ihrem Bauch kribbelte es ein bisschen. Aber nicht zu doll.

«Das war überhaupt nicht schlimm», sagte sie stolz. «Und deshalb nennen es die Astronauten Ko...»

Lilly sprach das Wort nicht zu Ende. Auf einmal fühlte sie sich ganz komisch. Als wäre sie stundenlang mit vollem Schwung in einem Karussell gefahren und hätte ruckartig angehalten. Ihr wurde leicht schwindelig. In ihrem Magen rumorte es wie nach einer zehnfachen Portion Brausepulver. Und ihre Füße ... sie verloren den Kontakt zum Boden! Lilly klammerte sich fester an das Seil. Ihre untere Hälfte schwebte einfach so in der Luft. Mit einem Anfall von Panik schaute sie zu Tim und Tom. Die lächelten ihr nur aufmunternd zu.

«*Deshalb* heißt es Kotzbomber», sagte Tim. «Mit unserem Flieger können wir nämlich kurze Zeit Schwerelosigkeit genießen. Fast wie im Weltraum.»

«Hä, wie geht das denn?», wunderte sich Lilly.

«Wir fliegen in großen Wellen», erklärte ihr Tom. «Und oben um den höchsten Punkt herum lässt der Pilot die Maschine fast ohne Antrieb treiben. Das ist dann so ähnlich wie beim Trampolinspringen. Nur viel länger.»

«Etwa 20 bis 30 Sekunden bei jeder Welle», fügte Tim hinzu. «Sei also nicht überrascht, wenn die

Schwerelosigkeit gleich vorbei ist. Die kommt bald wieder. Wir machen einfach mehrere Wellen hintereinander.»

Und tatsächlich strebte Lillys Hinterteil gleich darauf wieder dem Flugzeugboden entgegen. Kurze Zeit später fühlte sie sich sehr schwer, als würde sie doppelt so viel wiegen wie sonst.

«Das ist völlig normal», beruhigte sie Tom, der ihren erstaunten Blick bemerkt hatte. «Wir machen immerhin so etwas wie einen kleinen vorgetäuschten Absturz in großer Höhe. Wenn der Pilot dann den Flieger wieder abfängt, versuchen unsere Körper weiter zu fallen und erscheinen super schwer. Du kennst das garantiert von Fahrstühlen. Hier ist es nur viel stärker.»

Lilly zuckte kurz mit den Mundwinkeln. Sie freute sich schon auf die nächste Welle.

«Darf ich gleich das Seil loslassen?», fragte sie.

«Na klar», antworteten Tim und Tom gleichzeitig. «Erst dann macht es so richtig Spaß. Wir passen schon auf dich auf, und für alle Fälle sind die Wände schön weich.»

Lilly hörte, dass die Turbinen leiser wurden. Der Pilot drosselte die Motoren, und augenblicklich begann sie zu schweben. Mit Schwung stieß sie sich vom Boden ab. Zu doll! In hohem Tempo schoss sie in Richtung Flugzeugdecke. *Gleich knallt es!*, dachte sie, als geübte Hände sich auf ihren Rücken legten und sie sanft abbremsten.

«He, Tom!», rief Tim. Er fasste Lilly an den Hüften und holte mit ihr aus, als wäre sie ein Ball. «Fang das hier!»

Tim gab Lilly einen leichten Stoß, und sie durchpflügte schnurgerade die Luft wie ein Pfeil.

«Und nun mit dreifacher Schraube», forderte Tom sie auf.

Lilly drückte sich von ihm ab und drehte sich um ihre eigene Achse. Es war toll! Die schwierigsten Kunststücke waren hier ganz leicht. Dann kippte Tim aus einer Flasche einen Schluck Wasser. In der Schwerelosigkeit schwebte er wie eine Seifenblase wabernd vor Lillys Nase durch die Luft.

«Schaffst du es, den zu trinken?», fragte er.

Lilly nahm die Herausforderung an. Sie riss den Mund weit auf und flog von unten an die Wasserblase heran. Zuerst ging alles gut, und sie schlürfte die Flüssigkeit ein. Doch dann war die schwerelose Phase plötzlich wieder vorbei, und das restliche Wasser platschte ihr ins Gesicht. Lilly prustete überrascht, während Tim und Tom lauthals lachten.

«Na, wenigstens ist es keine Kotze», grinste sie und stimmte in das Lachen ein.

Eine Stunde und etliche Flugwellen später landeten sie wieder auf der Luftwaffenbasis.

Lilly strahlte über das ganze Gesicht.

«War das jetzt das Schlimmste beim Astronauten-training?», fragte Lilly beim Aussteigen.

«Hmm, ich denke, nicht ganz», überlegte Tom. «Viele Astronauten finden die Landung schlimmer. Dann stürzen sie mit ihrer Kapsel nämlich an Fall-schirmen ins Meer. Und dort dümpeln sie herum, bis ein Hubschrauber sie rausfischt. Dabei kann es ganz schön schaukeln, wenn die Wellen sie herumschwen-ken. Du glaubst nicht, wie viele harte Kerle dann seekrank werden.»

«Aber das kannst du leider nicht mit uns üben», meinte Tim. «Dafür muss man nämlich einen ganzen Flugzeugträger in Bewegung setzen. Und da stellen die Admiräle sich dann doch ein wenig an.»

«Macht nichts», winkte Lilly ab. «Ich glaube so-wieso nicht, dass es besser wäre als euer Superbom-ber. Und wenn ich mal kotzen will, brauche ich nur an den Spinatauflauf zu denken, den ich einmal in einer Jugendherberge gegessen habe. Das geht schneller und ist billiger.»

Lachend gingen die drei über das Rollfeld zur Kantine des Stützpunkts, wo die Astronauten mit dem Mittagessen auf sie warteten. Glücklicherweise wusste Lilly nicht, was für heute auf dem Speiseplan stand, sonst wäre ihre gute Laune im Magenumdre-hen dahin gewesen – es war ausgerechnet Spinat-auflauf.

Ein Spion aus dem Damals

Der Wachposten winkte einen Tag später den Leihwagen mit Albert und Tante Amelie lässig durch das
Tor. Die Männer vom Sicherheitsdienst kannten die
beiden inzwischen. Schließlich kamen sie seit einer
Woche täglich vorbei und besuchten den Flugdirektor Gene Kranz, genannt Flight, im Kontrollzentrum
der NASA.

«Na, Albert, bereit für die doppelte Jugendsimu-
lation?», begrüßte Flight sie vergnügt im Kontrollraum. Er rieb sich die Hände, als könnte er selbst
nicht abwarten, was sie heute vorhatten.

«Klar doch!», antwortete Albert lässig, obwohl
seine Finger vor Aufregung leicht zitterten. «Nicht,
dass am Ende einer glaubt, nur Erwachsene würden
so eine Mondlandung hinbekommen.»

«Dann mal los!», sagte Flight. Er reichte Albert
einen Kopfhörer mit angesetztem Mikrophon. «Jetzt
bist du der Capcom – unser Sprecher mit den Astronauten.»

Flight wandte sich an einen der Flugleiter, die an
den Arbeitsplätzen vor ihm saßen. «Steht die Verbindung zum Simulator der Mondlandefähre am Kennedy Space Center?»

«Ist auf GO, Flight!»,
bestätigte der Mann.

Der Flugdirektor reckte seinen Daumen
hoch, und Albert nickte nervös.

«Adler, hier ist Albert ... äh: Houston», haspelte
er. Das war aber auch wahnsinnig aufregend. Sie
probten mal wieder eine richtige Mondlandung mit
allem Drum und Dran. Hier in Texas lief alles genau so ab, wie es in wenigen Wochen beim Ernstfall
sein sollte. Der einzige Unterschied bestand darin,
dass die Astronauten diesmal noch nicht Hundert-
tausende Kilometer entfernt um den Mond kreisten,
sondern in Florida im Übungsgerät für die Landung

standen. Na ja, und dass eben dieses Mal Albert die Rolle des Capcom übernehmen durfte. Und die Landung führte ausnahmsweise nicht Neil Armstrong durch, sondern eine Art Ersatzpilot, nämlich ...

«Lilly hier», hörte Albert über seinen Kopfhörer. «Ich meine natürlich: Adler hier. Mensch, Albert, das Ding ist klasse! Sieht von außen aus wie ein Schuhkarton. Aber wenn man drinnen ist, kommt es einem vor wie in echt. Ich kann sogar durch die Fenster den Mond sehen. Er ist ganz nah!»

«Du weißt aber, dass das nicht der wirkliche Mond ist?», fragte Albert sicherheitshalber nach. «Da fährt nur eine Kamera über ein Modell vom Mond, und deren Bilder seht ihr in den Fenstern.»

«Ja, ist schon klar», maulte Lilly. «Wirkt aber trotzdem total cool.»

«Houston, wie wäre es mal mit ein paar Daten?», unterbrach sie die Stimme von Buzz Aldrin. Er stand zusammen mit Lilly in der nachgemachten Lande-fähre, die von der NASA auf den Namen *Adler* ge-tauft worden war. «Wir sind schließlich nicht zum Quatschen hier, sondern zum Arbeiten.»

«Oh ... äh ... sofort, Adler!», stammelte Albert. Er drehte sich fragend zum Flugdirektor um.

«Na, Jungs, dann füttert den Vogel mal mit eurem Wissen», forderte Flight die Flugleiter an den Pulten auf. Der Reihe nach spulten sie Zahlen und seltsame Abkürzungen herunter, die Albert gewissenhaft an Buzz und Lilly weitergab. Er verstand zwar nicht einmal die Hälfte von dieser Fachsprache, wusste aber, dass jeder einzelne Wert enorm wichtig sein konnte für den Erfolg der Mission.

«Sieht alles gut aus», fasste Flight am Schluss zu-sammen. «Also, Capcom, gib ihnen GO für PDI!»

Diesen Befehl verstand Albert. *PDI* war eine der Abkürzungen, die er auswendig gelernt hatte. Sie bedeutete, dass die Fähre die Umlaufbahn um den Mond verlassen und gebremst durch ihre Raketen mit der Landung beginnen sollte.

«Adler, hier ist Houston», sprach er in sein Mikro. «Ihr habt GO für PDI.»

«Verstanden, Houston! Wir haben GO für PDI», wiederholte Lilly. Gleich darauf hörte Albert, wie sie leise Buzz Aldrin fragte: «Was soll ich machen? Den Knopf da drücken? Oder vielleicht den da?»

Ein Rauschen signalisierte, dass die Raketen gezündet wurden. Albert versuchte sich vorzustellen, wie Lilly durch die Fenster des Simulators starrte und mit kurzen Lenkstößen aus den Raketen auf die Mondoberfläche zusteuerte. Dabei mussten sie und Buzz Aldrin stehen, denn Sitze gab es in der Fähre nicht. Die wären schlicht zu schwer gewesen.

«Sie sinken zu schnell!», meldete einer der Flugleiter.

Albert hatte aufgepasst und gab die Warnung sofort weiter: «Adler, ihr geht zu schnell runter.»

«Verflixt! Versuch du doch mal, so ein störrisches Ding zu fliegen!», schimpfte Lilly über Funk. «Das reagiert einfach nicht.»

«Nur noch 100 Meter!», sagte der Flugleiter ruhig und deutlich, als würde er eine Telefonnummer vorlesen. «Noch 80 … 60 …»

«Lilly, mehr Schub!», rief Albert. Schweißtropfen traten ihm auf die Stirn. Er hatte vergessen, dass dies nur eine Übung war. Für ihn stürzte Lilly gerade wirklich ungebremst auf den Mond zu.

«Houston, wir haben ein Problem», meldete sich nun Buzz Aldrin. Er klang ehrlich besorgt. «Die Raketen reagieren nicht auf unsere Eingaben.»

«… 40 … 20 …»

«Was ist da los?» Flights Stimme donnerte durch den Raum.

«Sch...!», drang Lilly über die Lautsprecher des Kontrollzentrums.

«... 10 ... Aufschlag!»

Einen Moment lang war alles still. Einige Flugleiter ließen die Köpfe sinken. Die Anzeigen auf ihren Computerbildschirmen flackerten in einem wilden Durcheinander.

«Sie sind auf die Oberfläche geknallt», murmelte der Mann, der bis eben noch die Höhen durchgegeben hatte. «Bei einem echten Versuch hätte das niemand überlebt.»

Albert schluckte schwer. Was war bloß passiert? Sicher, an der Stelle des erfahrenen Neil Armstrong hatte Lilly die Fähre geflogen. Aber natürlich nicht alleine! Buzz Aldrin war ein ebenso guter Pilot wie Armstrong. Er hatte Lilly garantiert die richtigen Anweisungen gegeben. Doch das hatte nichts geholfen. Weil aus irgendeinem Grund die Technik nicht mitgespielt hatte. Aber mit dieser Technik wollten die drei Astronauten in wenigen Wochen tatsächlich losfliegen und ihr Leben riskieren.

«Ich will wissen, wie das geschehen konnte!», dröhnte die wütende Stimme des Flugdirektors.

«Ich ... ich glaube, ich weiß es», meldete sich Buzz Aldrin über die Sprechverbindung. «Nach dem, was uns die Anzeigen hier präsentieren, gehe ich jede Wette ein, dass jemand an den Computern herumgespielt hat.» Er machte eine kurze Pause. «Der Saboteur hat wieder zugeschlagen!»

Das Entsetzen war Tante Amelie und den Männern im Kontrollraum deutlich von den Gesichtern abzulesen. Der Saboteur! Der hatte ihnen gerade noch gefehlt. Zum ersten Mal in der Menschheitsgeschichte auf dem Mond zu landen und dort auszusteigen war schon an sich ein ungeheuer gefährliches Wagnis. Mit einem Unbekannten am Boden, der jederzeit die absolut notwendigen Computer lahmlegen konnte, wurde die Mission jedoch zu einem Himmelfahrtskommando im doppelten Sinn.

«Wer ... wer tut denn so was?», stammelte Albert fassungslos.

«Oh, da fallen mir schon ein paar Leute ein», knurrte Flight. «Immerhin liefern wir uns mit der Sowjetunion ein hartes Wettrennen zum Mond. Und mit dem Apollo-Programm liegen wir vorne. Die würden es sich bestimmt einen hübschen Batzen Geld kosten lassen, wenn jemand es schafft, unseren Terminplan über den Haufen zu werfen.»

«Sie vermuten also, dass es bei der NASA einen Spion gibt?», hakte Tante Amelie nach. Albert sah zu ihr rüber. Nach ihren eigenen Angaben hatte Tante Amelie früher für kurze Zeit selbst als Agentin gearbeitet. Nun glaubte er, ein Aufblitzen in ihren Augen zu bemerken. Als hätte sie eine Art Jagdfieber gepackt.

«Könnte schon sein», antwortete Flight. «Obwohl eigentlich alle Mitarbeiter peinlich genau überprüft wurden. Aber wenn irgendwo noch schnell Leute eingestellt werden müssen, bleibt dafür vielleicht nicht ausreichend Zeit.» Er griff zum Telefon. «Jedenfalls ist das ein Job für die Sicherheit. Die müssen dafür sorgen, dass wir unsere Jungs nicht wegen eines Saboteurs zu ihrer eigenen Beerdigung auf den Mond schicken.»

Albert und Tante Amelie verfolgten angespannt das Gespräch. Sie nahmen nur am Rand wahr, dass einige Techniker den Kontrollraum betraten und an den Computerkonsolen in der ersten Reihe der Arbeitsplätze herumschraubten. Einer von ihnen ging schließlich mit einer Platine voller elektronischer Schaltungen in der Hand zur Tür, als Albert zufällig in seine Richtung schaute. Der Junge zuckte heftig zusammen. Der Mann trug einen mächtigen Schnurrbart mit gezwirbelten Enden. Kein Zweifel – dies war …

«Dubios!», rief Albert aus.

Tante Amelie, Flight und die Flugleiter blickten ihn fragend an. Auch der Techniker sah in seine Richtung. Einen winzigen Augenblick starrten Albert und er einander an. Dann verschwand Dubios durch die Tür, die knallend hinter ihm zufiel.

«Wer ist Dubios?», wollte Flight wissen, doch Albert setzte eilig seinen Rollstuhl in Gang.

«Keine Zeit für lange Erklärungen», keuchte er, während er auf die Tür zurollte. «Wir müssen diesen Mann unbedingt aufhalten. Ich glaube, *er* ist der Spion.»

Flight und sein Team erstarrten bei diesen Worten auf ihren Plätzen. Sie waren es nicht gewohnt, aufzuspringen und durch die Gegend zu laufen. Ihre Aufgabe war es, Probleme mit kühlem Kopf und einem Knopfdrücken zu lösen. Darum folgte nur Tante Amelie Albert. Die beiden stürzten auf den Flur, doch natürlich war von Dubios keine Spur mehr zu sehen.

«Du musst dich geirrt haben», sagte Tante Amelie leise zu ihrem Neffen. «Es kann unmöglich Dubios gewesen sein. Wir haben ihn bei unserem letzten Abenteuer bei den Indianern im 19. Jahrhundert zurückgelassen.»

«Es war Dubios!», beharrte Albert. «Du weißt noch nicht, wie gerissen er ist. Irgendwie muss er rechtzeitig entwischt und mit euch in die Gegenwart gelangt sein, ohne dass ihr es bemerkt habt. Der Kerl ist zu allem fähig.» Er holte tief Luft. «Und für viel Geld würde er sogar einen Dreifachmord an den Astronauten begehen!»

Etwa im selben Moment, als Lilly bei ihrem nachgestellten Mondflug zerschellte, donnerte Magnus etliche Kilometer weiter ganz wirklich mit dem Kopf gegen die Decke von Phil Screwers Garagenwerkstatt.

«Autsch!», rief er. «Schnell, Phil! Schalt das Ding aus!»

Der NASA-Techniker im Urlaub stürzte vor und drückte einen Knopf auf der Armlehne des Rollstuhls, an dem er mit Magnus herumbastelte. Ein Elektromotor surrte, und langsam fuhr die Teleskopstange, an welcher der Sitz befestigt war, wieder zusammen. Magnus sank aus luftiger Höhe zurück auf die normale Ebene. Seine Arme hingen schlaff über die Lehnen, seine Augen waren halb geschlossen.

«Offenbar ist der Hochsitzmodus immer noch zu rasant eingestellt», murmelte Phil, während er ein Glas mit Wasser füllte und Magnus schwungvoll ins Gesicht kippte. Prustend kam der Junge zu sich. Er japste nach Luft.

«Boah! Mir dröhnt allmählich der Schädel», murrte er. «Das war schon unser vierter Versuch. Und jedes Mal bekomme ich heftig eins auf den Deckel.»

Er rieb sich den Kopf, wo eine neue Beule sich Platz zwischen drei anderen Schwellungen verschaffte.

«Vielleicht sollten wir diese Idee einfach vergessen», schlug Phil vor. Er betrachtete skeptisch die Höcker auf Magnus' Schädel. «Ist zu riskant.»

«Ach was!», wehrte Magnus ab. «Albert hat sich schon oft beschwert, dass er wegen des Rollstuhls nicht an die oberen Regale kommt. Der freut sich eine ganze Sammlung von Löchern in den Bauch, wenn er auf Knopfdruck seinen Sitz bis zu drei Meter nach oben ausfahren kann.» Er betastete bedächtig die Beulen. «Nur wäre es schon besser, wenn wir den Motor ein wenig drosseln könnten. Für den Fall, dass Albert nicht so auf blaue Flecken steht wie ich.»

Er grinste leicht verkniffen. Phil Screwer lächelte zurück.

«Der Tag ist noch jung», meinte er. «Genug Zeit für zwei gewiefte Bastler wie uns, ein wenig an den Einstellungen zu drehen.»

Er reichte Magnus einen Schraubenzieher, und gemeinsam bereiteten sie ihren fünften Versuch vor, den Rollstuhl mit einem bequemen und sicheren Sessellift auszustatten.

Tag der Entscheidungen

«Magnus, du weißt hoffentlich, dass du einen Turban auf dem Kopf trägst?»

Lillys Löffel schwebte auf halber Strecke zwischen ihrem Mund und der Schüssel voller Cornflakes mit Früchten, als Magnus am Frühstückstisch auftauchte. Sie war am Abend zuvor ziemlich spät mit den Astronauten aus Florida zurückgekehrt und sofort todmüde ins Bett gefallen. Die beiden Jungen hatten um diese Zeit schon geschlafen, und so kam sie erst jetzt in den Genuss von Magnus' umwickeltem Kopf.

«Das ist kein Turban», klärte Albert sie auf. «Das ist ein Verband. Aber Magnus weigert sich strikt, uns zu verraten, wie es darunter aussieht. Geschweige denn, weshalb er verbunden ist.»

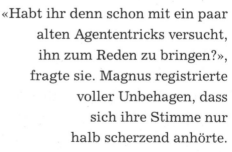

Lilly schaute auffordernd zu Tante Amelie. «Habt ihr denn schon mit ein paar alten Agententricks versucht, ihn zum Reden zu bringen?», fragte sie. Magnus registrierte voller Unbehagen, dass sich ihre Stimme nur halb scherzend anhörte.

«Du meinst, Fingernägel ausreißen, Blattschneiderameisen in die Nase setzen und ihm stundenlang alle Folgen der ‹Klingenden und singenden Berge› auf Video vorspielen?», überlegte Tante Amelie.

«Mit gefesselten Händen, damit er sich nicht die Ohren zuhalten kann», murmelte Albert. Doch er wurde übertönt von Magnus, dem gar nicht gefiel, welche Richtung ihre Unterhaltung nahm.

«Mir geht es gut!», rief er eine Spur zu laut. «Das mit dem Verband, das ist fast gar nichts. Und ich kann euch nichts darüber erzählen, weil alles noch geheim bleiben muss!»

Tante Amelie stieß einen langgezogenen Pfiff aus.

«Soso, geheim also», stellte sie mit hochgezogenen Augenbrauen fest. «In diesem Abenteuer wimmelt es ja geradezu von Rätseln. Deine geheimen Geheimaktionen mit diesem Phil Screwer, der geheime Spion bei der NASA, von dem Albert glaubt, dass es Dubios ist ...»

TONK!

Lilly war ihr Löffel aus der Hand gefallen und scheppernd gegen die Schüssel geknallt.

«Dubios?» Es war schwer zu sagen, was weiter offen stand – ihr Mund oder ihre Augen. «Der kann nicht hier sein! Unmöglich! Den haben die ...»

«... Indianer», vollendete Albert ihren Einwand. «Das hat Tante Amelie auch gesagt. Aber ich bin mir total sicher, dass ich ihn erkannt habe. Und überleg mal: Ihr habt damals ziemlich gebummelt, als ihr durch den Tunnel zurück ins Jetzt gegangen seid. Wenn Dubios sich befreien konnte, hatte er mehr als genug Zeit, sich irgendwo im dunklen Teil des Tunnels zu verstecken und heimlich mit euch in die Gegenwart zu kommen.»

Lilly schloss den Mund wieder und presste die Lippen fest aufeinander. Da war etwas dran. Sie hatten sich so sehr auf ihre indianischen Freunde verlassen, dass sie nicht sonderlich aufmerksam gewesen waren. Und bei ihrer Abreise zu den Mondflügen im Jahr 1969 hatten sie auch keine Vorsichtsmaßnahmen ergriffen, um den Tunnel zu schützen.

«Verflixt!», schimpfte sie.

«Wir haben dem Sicherheitsdienst selbstverständlich sofort von unserem Verdacht berichtet», erzählte Tante Amelie. «Und die haben auf der Stelle die Angestelltenkartei überprüft.»

«Und?», fragte Lilly ungeduldig.

«Nichts!» Tante Amelie zuckte mit den Schultern. «Bei der NASA arbeitet niemand mit dem Namen Hermann Dubios.»

«Was ja auch zu erwarten war», gestand Albert ein. «Denn unser Dubios ist viel zu gerissen, um seinen echten Namen zu benutzen. Er hat schließlich von Anfang an gewusst, dass auch wir in dieser Zeit sind und ihn erkennen würden, wenn wir uns zufällig über den Weg liefen.»

«Aber ihr habt denen doch eine genaue Beschreibung geliefert?», wollte Lilly wissen. Sie wippelte nervös mit den Beinen. Der Gedanke, dass ihr Erzfeind schon wieder dabei war, schlimme Schäden in der Vergangenheit anzurichten, gefiel ihr überhaupt nicht. «Ich meine den Schnurrbart, die Narbe am Unterarm ...»

«Haben wir denen alles gesagt», bestätigte Albert.

«Aber ob das etwas nützt ...» Tante Amelie wiegte den Kopf hin und her. «So einen Bart kann man im Nu abrasieren. Und die Narbe lässt sich mit langen Ärmeln verdecken oder zur Not auch überschminken.»

«Ich finde ihn!» Lilly donnerte ihren Löffel auf den Tisch. «So sehr kann dieser Fiesling sich gar nicht verkleiden, dass ich ihn nicht erkennen würde. Gleich nachher gehe ich zum Sicherheitsdienst und biete denen meine Hilfe an!» Entschlossen stieß sie den Löffel in ihre Frühstücksflocken, als wollte sie die Cornflakes k.o. schlagen.

Albert sah triumphierend Tante Amelie an.

«Habe ich doch gesagt!», grinste er. «Ich wusste genau, dass Lilly so reagiert. Und du schuldest mir nun ein Eis!»

«Wir kriegen das schon alleine hin!»

Der Mann hinter dem Schreibtisch hob demonstrativ ein Blatt von seinem Schreibtisch und tat so, als würde er konzentriert den darauf geschriebenen Bericht lesen. Tante Amelie, Albert und Lilly verdrehten gleichzeitig die Augen. Seit einer Viertelstunde bemühten sie sich, den Chef des Sicherheitsdienstes zu überzeugen, ihre Hilfe bei der Jagd auf den Spion und Saboteur anzunehmen.

«Aber Sie haben Dubios doch noch nie gesehen!», schimpfte Lilly. «Wie wollen Sie einen Mann fangen, von dem Sie so gut wie gar nichts wissen?»

«Wir haben eine Personenbeschreibung», knurrte der Mann hinter seinem Blatt.

«Die ist viel zu ungenau», stöhnte das Mädchen.

«Sie wird reichen!», antwortete der Offizier genervt.

«Und wenn er sich verkleidet?», wandte Albert zaghaft ein.

Der Offizier ließ das Blatt sinken und beugte sich über seinen Schreibtisch nach vorne. «Wir haben zusätzliche Sicherheitsmaßnahmen ergriffen», presste er mühsam beherrscht hervor. «Auf dem gesamten Gelände geschieht nichts mehr ohne meine ausdrückliche Zustimmung. Nichts! Verstanden?»

«Ach ja?» Lilly pustete aufmüpfig eine Haarsträhne in die Luft. Albert schaute zu ihr herüber und schüttelte mahnend den Kopf. Er kannte diese Stimmung bei seiner Freundin, und sie verhieß für gewöhnlich einen gefährlichen Lilly'schen Ausbruch von Bockigkeit. «Dann haben sie *das* hier wohl auch genehmigt.» Mit zwei schnellen Schritten sprang sie zur Bürotür, drehte den Schlüssel um, der von innen im Schloss steckte, zog ihn ab und warf ihn im hohen Bogen aus dem offen stehenden Fenster hinter dem Offizier.

Einen schrecklichen Moment lang war es totenstill in dem Zimmer. Der Sicherheitschef, Tante Amelie, Albert und sogar Lilly selbst brauchten ein paar Sekunden, bis sie begriffen, was Lilly soeben getan hatte. Erst als von draußen ein leises «Autsch!» ertönte, schien die Zeit weiterzulaufen.

«Das ist doch ...!», donnerte der Offizier. Er lief dunkelrot an und fuhr wütend in die Höhe. Die Kinder drückten sich schutzsuchend hinter Tante Amelie, die sich verkniffen auf ihre Lippen biss. Am liebsten wären sie alle drei auf der Stelle rausgelaufen, aber das ging ja nicht, weil Lilly den einzigen Weg aus dem Büro zugesperrt hatte.

Der Offizier schnaubte heftig, dann drehte er sich mit einem Ruck um, steckte den Kopf aus dem Fenster und brüllte: «He! Sam! Hör auf, dir deinen Kopf zu reiben, und bring mir meinen Schlüssel wieder!»

Von draußen kam ein schwaches «Jawohl, Sir!», und der Klang hektischer Stiefelschritte verriet, dass jemand eilig über die Gehwegplatten stolperte.

«So!», sagte der Sicherheitschef nun an die Zeitreisenden gewandt. «Ihr wollt also unbedingt ermitteln? Dann werdet ihr eben ermitteln! Aber nur unter Aufsicht!»

An der Bürotür gab es ein kratzendes Geräusch, dann schnappte das Schloss, und die Tür ging auf. Ein schlaksiger junger Mann in Uniform mit einem pickligen Gesicht trat ein und grüßte militärisch, indem er mit seiner gestreckten rechten Hand zur Stirn ruckte. Dabei piekte er sich mit dem Schlüssel, den er noch in der Hand hielt, ins Auge.

«Darf ich vorstellen?», grinste der Offizier höhnisch. «Fähnrich Clemens. Er wird euch bei euren Ermittlungen mit Rat und Tat zur Seite stehen.»

Tante Amelie, Albert und Lilly schauten einander an. Ihre Blicke verrieten, dass sie dasselbe dachten: Der Sicherheitschef hatte ausgerechnet den Standorttrottel zu ihrer Unterstützung abkommandiert!

Während Lilly und Tante Amelie mit Fähnrich Sam Clemens diskutierten, wie sie Dubios eine Falle stellen könnten, musste Albert sich beeilen, damit er nicht zu spät zu einer Krisensitzung der Astronauten mit dem Flugdirektor kam. Es ging um die Frage, ob sie den Mondflug riskieren sollten, solange der Saboteur nicht gefasst war.

«Verschieben kommt nicht in Frage!», meinte Buzz Aldrin. «Dann überholen uns die Sowjets am Ende noch und landen zuerst dort oben.»

«Es nützt uns aber auch nicht viel, wenn wir unterwegs plötzlich ohne Computer dasitzen», wandte Michael Collins ein. «Wir können die Flugbahn auf keinen Fall mit Papier und Bleistift berechnen. Dafür ist sie viel zu kompliziert.»

Albert zog in Gedanken versunken ein paar Zettel hervor und blätterte darin. Es waren Ausdrucke aus dem Internet mit den wichtigsten Daten zur Apollo-11-Mission. Er hatte sie zu Hause im Jetzt gemacht und mitgenommen, um stets den Überblick zu behalten. Die Diskussion ringsum fand er nicht so spannend, weil er ja wusste, wie die Zukunft aussah. Schließlich handelte es sich dabei für ihn längst um die Vergangenheit.

«Michael hat recht, Buzz», brummte Flight zustimmend. «Und wenn ihr drei den Mond verfehlt, treibt ihr auf ewig durch das Weltall. Nach so einem Unglücksfall ist dann garantiert für immer Schluss mit der Raumfahrt.»

Neil Armstrong rieb sich nachdenklich das Kinn. Im Grübeln streifte sein Blick Albert und dessen Aufzeichnungen. Was hatte der Junge da wohl für Unterlagen? Von der NASA konnten sie nicht stammen, denn die gedruckte Schrift sah viel ordentlicher aus als bei den Schreibmaschinen, die in der Weltraumbehörde benutzt wurden.

«Ohne Risiko geht es eben nicht», fuhr Aldrin auf. «Das haben wir alle gewusst, als wir uns auf die Stellen als Astronauten beworben haben.»

Armstrong beugte sich neugierig ein bisschen zur Seite und lugte Albert über die Schulter. Auf den Zetteln ging es eindeutig um ihren Flug. Dort standen die wichtigsten technischen Angaben zu ihrer Rakete, das geplante Datum für den Start und … der Kommandant blinzelte heftig mit den Augen. Er mochte nicht glauben, was er dort las.

«Bloß hat niemand damals mit einem Spion gerechnet, der unter unseren Händen die Technik zerstört», widersprach Michael Collins gereizt.

Es war eindeutig. Auf Alberts Blatt standen ein Tag und sogar eine genaue Uhrzeit, wann der *Adler*, die Landefähre von Apollo 11, auf dem Mond aufsetzen würde. Aber das war unmöglich! Dieses Ereignis lag doch in der Zukunft!

«Genug!» Flight hob abwehrend die Hände. «Neil, du bist der Kommandant. Es ist deine Entscheidung», sagte er ernst.

Neil Armstrong gab ein kurzes «Hä?» von sich, als er angesprochen wurde. Er riss sich von Alberts Papieren los und stellte fest, dass die drei Männer ihn erwartungsvoll ansahen. Einen Augenblick musterte er angestrengt die Zimmerdecke, als wäre dort mit dickem Filzstift geschrieben, was er tun sollte.

«Ich möchte kurz Albert unter vier Augen sprechen», sagte er dann.

«MICH?» Albert kippte vor Schreck beinahe vornüber aus dem Rollstuhl. Hastig stopfte er die Zettel hinter seinen Rücken.«Was hab ich denn ...?»

Der Flugdirektor und die beiden anderen Astronauten schauten fragend auf Armstrong und dann auf Albert, dessen Hände nervös die Armlehnen kneteten.

«Das Nebenzimmer ist frei!» Flight durchquerte mit großen Schritten den Raum und öffnete eine Tür. Neil Armstrong packte ohne viel Umschweife die

Griffe von Alberts Rollstuhl und schob ihn vor sich hinüber. Er fing bereits an zu reden, bevor er die Tür hinter ihnen geschlossen hatte.

«Ich will gar nichts großartig von dir wissen», sagte er. «Nur diese eine Sache ...»

Doch, was genau es war, bekamen die Zurückgebliebenen nicht mit. Ihnen blieb nur, auf das Emblem von Apollo 11 zu starren, das an der jetzt festgeschlossenen Tür prangte. Ein brauner Adler mit weißem Kopf und einem Zweig in den Fängen setzte darauf zur Landung auf dem Mond an. Im Hintergrund war die Erde zu erkennen. So sollte der *Adler* demnächst auf dem Mond aufsetzen. Vorausgesetzt, die Mission lief wie geplant weiter.

Endlich ging die Tür auf. Ohne weitere Verzögerungen schritt Neil Armstrong entschlossen auf den Flugdirektor zu. Etwas zaghafter erschien hinter ihm Albert.

«Lasst uns zum Mond fliegen!», sagte Armstrong und klopfte Flight aufmunternd an den Oberarm. Buzz Aldrin sah Michael Collins an, der sich geschlagen gab und zustimmend nickte. Die Entscheidung war gefallen – Apollo 11 würde termingerecht starten.

Einige Meilen entfernt fiel vor der Garagenwerkstatt von Phil Screwer ebenfalls eine Entscheidung. Sie war zwar nicht ganz so bedeutend wie der Schritt von Neil Armstrong, doch auch Magnus musste all seinen Mut zusammennehmen, bevor er sagte: «Wir brauchen eine Testfahrt, Phil! Sonst können wir nicht sicher sein, ob der Raketenantrieb wirklich funktioniert.»

Die beiden Bastler standen mit ihrem selbstgebauten Rollstuhl auf der Straße. Weit und breit war kein Auto zu sehen, nicht einmal ein kleines Kind auf seinem Dreirad war unterwegs. Ideale Bedingungen, um ein weiteres Extra auszuprobieren, das Phil und Magnus sich für Albert ausgedacht hatten.

«Dann lass diesmal mich den Testpiloten machen», schlug der NASA-Techniker vor. «Du hast dir schon genug Beulen eingefangen.»

«Nein, es ist besser, wenn ich das tue», widersprach Magnus. Er ließ sich auf das Sitzpolster sinken. Seine weichen Knie hätten ihn sowieso nicht mehr lange getragen. «Du bist zu schwer. Albert wiegt nur ungefähr so viel wie ich.»

Phil Screwer zuckte mit den Achseln. Magnus hatte recht – der Test würde ihnen am meisten bringen, wenn sie möglichst nah an den späteren Einsatzbedingungen arbeiten konnten. Er legte Magnus den Sicherheitsgurt um und prüfte sorgsam alle Einstellungen.

«Hier ist der Startknopf, und mit diesem Hebel steuerst du», erklärte er, obwohl Magnus natürlich jeden Schalter und Regler ebenso gut kannte wie Phil. Immerhin hatten sie gemeinsam jedes Drähtchen verschraubt und verlötet. Stets unter Aufsicht von Merlin, der neugierig auf die Rückenlehne des Rollstuhls flatterte.

«Dann geht's also los», krächzte Magnus. Er räusperte sich. Am liebsten hätte er alles schon glücklich hinter sich. Im Gegensatz zu Merlin, der unternehmungslustig mit dem Kopf wippte.

«Einen Moment noch!» Phil Screwer schnipste mit den Fingern. Ihm war etwas eingefallen. Er drehte sich um und lief in die Garage. Einige Sekunden später kam er zurück. In den Händen hielt er einen Motorradhelm.

«Nur zur Sicherheit ...», sagte er und reichte den Helm an Magnus. «Du hast dir schließlich schon genug Beulen geholt.»

Magnus schluckte. Dankbar nahm er den Helm entgegen und setzte ihn sich auf.

«Halt dich fest!», empfahl er Merlin.

Dann drückte er auf den Startknopf für den Raketenantrieb. Es gab einen lauten Knall ... und zurück blieben nur Phil sowie einige schwarze Federn, die sanft zu Boden schwebten.

Die Beschleunigung war enorm. Sie presste Magnus kraftvoll gegen die Rückenlehne. Merlin wäre um ein Haar von seinem Platz gerissen worden. Nur mit der geballten Energie seiner Vogelmuskeln konnte er sich festkrallen. Die Dohle wollte wütend losschimpfen, aber zu ihrem Ärger kam sie nicht gegen den Fahrtwind an.

So donnerten die beiden stumm, aber keineswegs lautlos die Straße hinunter, angetrieben durch den langen Feuerstrahl der vier kleinen Raketen, die Magnus und Phil geschickt verborgen an das Rollstuhlgestell geschweißt hatten. Links und rechts rauschten die jungen Bäume, die den Weg säumten, im Sog des futuristischen Geschosses.

Im Nu hatten sie die erste Kreuzung erreicht. Magnus fiel bestürzt ein, dass er nicht wusste, ob alle Straßen in der Siedlung um diese Uhrzeit so leer waren. Er hatte verständlicherweise überhaupt keine Lust, mit einem Laster oder auch nur einem Fußgänger zusammenzustoßen. Er tastete nach dem Steuerknüppel und kippte ihn ein wenig nach links. Augenblicklich schoss der Rollstuhl so ruckartig auf die andere Seite der Fahrbahn, dass er sich beinahe überschlagen hätte. Hastig korrigierte Magnus die Fahrtrichtung. Schon sausten sie über die glücklicherweise vollkommen leere Kreuzung. Magnus atmete erleichtert auf. Das war nochmal gutgegangen, dachte er, als hinter ihm eine Sirene ertönte.

«Mist! Das ist die Polizei», rief er Merlin zu, der windschnittig nach vorn gebeugt auf der Rückenlehne hockte und das Tempo inzwischen sichtlich genoss.
«Meinst du, die würden uns abnehmen, dass du gefahren bist?»
Der Vogel antwortete mit einem Augenplinkern.

Im Rückspiegel sah Magnus, wie das Polizeiauto aus einer Seitenstraße auf seine Teststrecke einbog und mit kreisendem Blau- und Rotlicht hinter ihm herfuhr.

Weia, da werde ich wohl einiges zu erklären haben, dachte er und drückte auf den Stopp-Knopf für den Raketenantrieb.

Zum Glück für Magnus stellte sich aber schnell heraus, dass der Polizist früher mit Phil Screwer in eine Klasse gegangen war. Sobald der Ingenieur keuchend mit seinem Fahrrad die Straße herunterkam, ahnte der Mann schon halb, wieso ein Junge und eine Dohle mit Raketenantrieb durch die Siedlung gedonnert waren. Als er dann noch erfuhr, dass die beiden zu der Kennedy-Familie aus dem Gästehaus der NASA gehörten, tippte er nur lässig mit dem Finger an den Schirm seiner Mütze und fuhr mit dem Polizeiauto langsam als Eskorte vor Magnus und Phil zurück zur Garage.

Ein ungebetener Gast

In den folgenden Tagen hielt der Hochsommer Einzug im Süden der USA. Mit ihm stiegen nicht nur die Temperaturen, sondern auch die Anspannung bei den Mitarbeitern der NASA – und bei den Zeitreisenden. Das Hauptgesprächsthema an deren Frühstückstisch war jeden Morgen Dubios. Der Fiesling war einfach nicht zu fassen.

«Das liegt zum Teil auch an diesem Fähnrich Sam Clemens», maulte Lilly. «Du glaubst nicht, wie dusslig der ist», berichtete sie Magnus. «Vorgestern hatten wir Dubios schon beinahe gehabt. Er war wohl gerade auf dem Weg zum Mittagessen. Jedenfalls hab ich ihn plötzlich draußen vor der Kantine gesehen. Albert und Tante Amelie schlichen sich sofort von der einen Seite an ihn heran, Sam und ich von der anderen. Es fehlten nur noch drei oder vier Meter ... als Sam auf eine Harke trat und ihr Stiel ihn mit voller Wucht ins Gesicht traf.»

«Ich dachte, so etwas passiert nur in Zeichentrickfilmen», wunderte sich Magnus. Vor lauter Spannung schaufelte er sich bereits den siebzehnten Löffel Kakao in seine Milch.

«Ja, dieser Sam kommt einem vor wie Tom und

Jerry in einer Person», stimmte Tante Amelie ihm zu.

«Jedenfalls hat Dubios sich natürlich umgedreht, uns gesehen und das Weite gesucht», schloss Albert die Erzählung ab, bevor er sich Rührei in den Mund steckte.

«Wenigstens konnte er keinen Schaden mehr anrichten, seit wir ihm auf den Fersen sind», brüstete sich Lilly stolz. «Und der Start kann wie geplant am 16. Juli stattfinden.»

«Heute ist übrigens der 4. Juli», verkündete Tante Amelie und biss in ihr Brötchen mit bitterer Orangenmarmelade. Ohne sich von ihrem vollen Mund stören zu lassen, sprach sie weiter: «Daff ift der amerikaniffe Unabhängigkeitftag. Überall wird gefeiert. Wir find auch eingeladen. Die Collinf feranftalten eine Grillparty. Fo fiemlich alle Aftronauten werden mit ihren Familien dafein.»

«Haben die denn dafür Zeit?», wunderte sich Albert. «So kurz, bevor es richtig losgeht?»

Tante Amelie schluckte ihren Bissen hinunter. «Klar! Ist schließlich die letzte Gelegenheit, vor dem Mondflug ein paar Stunden zusammen zu verbringen.»

«Hä? Wieso ‹letzte Gelegenheit›?», fragte Magnus. «Bis zum 16. sind es doch noch fast zwei Wochen.»

«Ja, schon.» Tante Amelie schlürfte etwas Brennnesseltee. «Aber ab morgen sind die drei Astronauten bis zum Start in Quarantäne.»

«Kwaran... wie?», stockte Lilly. «Liegt das in Texas oder in Florida?»

«Quarantäne heißt das», klärte Albert sie auf. «Es bedeutet, dass sie von den anderen Menschen getrennt bleiben. Damit sie sich nicht mit irgendeiner Krankheit anstecken.»

«Genau», bestätigte Tante Amelie. «Und in diesem Fall steht ihre Quarantänestation am Kennedy Space Center. Nur ganz wenige Leute dürfen sie dort besuchen. Wir gehören dummerweise nicht dazu. Und ihre Frauen und Kinder auch nicht.»

«Na, wenn das mal nicht bei der Feier ordentlich auf die Stimmung drückt», überlegte Magnus.

Als sie am Nachmittag bei den Collins ankamen, schienen die Gäste allerdings eher ausgesprochen fröhlich zu sein. Phil Screwer hatte eine ausgediente Turbine zum Grill umfunktioniert und briet Steaks, Hamburger und Hotdogs in rauen Mengen. Er lieferte sich eine Art kulinarischen Wettkampf mit den Ehefrauen der Astronauten, die Schüsseln mit leckeren Salaten, Kuchen, Pudding und mehrere fruchtige Bowlen auf einem langen Tisch stapelten. Auch eine alkoholfreie Variante war darunter.

Lilly, Albert und Magnus saßen mit den Kindern der Astronauten auf einem Klettergerüst und unterhielten sich natürlich über den Mondflug. Das heißt, die drei versuchten es. Aber irgendwie waren die beiden Söhne von Neil Armstrong und die drei

Kinder von Buzz Aldrin gar nicht sonderlich an dem Thema interessiert.

«Seid ihr denn nicht aufgeregt, weil eure Väter bald als erste Menschen auf dem Mond landen?», fragte Lilly sie. Schon bei dem Gedanken daran fingen ihre Beine von selbst an zu hippeln.

«Hmm, geht so», antwortete James Aldrin, der mit 14 Jahren am ältesten war. «Ich wollt, sie wären schon zurück, damit unser Dad mal Zeit hat, um mit mir zum Angeln zu fahren.»

«Und mein Papa darf dann mit mir und Schneeball spielen», piepte Michael junior.

«Schneeball?» wunderte sich Albert.

«So heißt mein Kaninchen», erklärte Michael. «Warte, ich hole es!» Er flitzte ins Haus und kam kurz darauf mit einem weißen Zwergkaninchen zurück. Der kleine Mark Armstrong fragte sofort, ob er es mal halten durfte.

«Unser Papa fliegt ständig durch die Gegend», erzählte Eric Armstrong. «Erst als Testpilot mit Düsenflugzeugen und jetzt mit Raketen zum Mond. Furchtbar langweilig, wenn ihr mich fragt.»

«Das kannst du laut sagen!», bestätigte Janice Aldrin. «Nie haben sie Zeit für uns! Dauernd dreht sich alles nur ums Fliegen!»

Lilly klappte der Mund immer weiter auf. Wie konnte das denn sein? Die Väter dieser Kinder erlebten gerade das größte Abenteuer des Jahrhunderts – und die fanden das eher öde!

«Ist halt ihr Job», fasste James die Situation schulterzuckend zusammen.

«He! Halt!», rief Mark. Schneeball hatte entschieden, dass ihm die vielen fremden Menschen nicht geheuer waren, und mit einem plötzlichen Sprung vom Arm herunter die Flucht angetreten.

«Wir müssen ihn einfangen!», schrie Michael junior in heller Panik. Augenblicklich setzten die Astronautenkinder dem Kaninchen nach, das im Zickzack um die Beine der Gäste herum durch den Garten hetzte. Nur Lilly, Albert und Magnus blieben auf ihren Plätzen und steckten die Köpfe zusammen.

«Ich verstehe das nicht», flüsterte Lilly. «Warum sind die nicht stolz auf ihre Väter?»

«Sind sie vielleicht», meinte Albert. «Aber für die ist es eben nichts Besonderes, dass ihre Väter Astronauten sind. Die Kleineren kennen es gar nicht anders.»

«Genau!», nickte Magnus. «Das ist, als ob dein Vater Erfinder wäre und das für dich total normal wäre.»

Er guckte grinsend Albert an, der einen Moment verblüfft nachdachte.

«Ja, ich denke, das ist gar kein übler Vergleich», gab Albert schließlich zu.

Auch Tante Amelie hatte eine Neuigkeit erfahren. Sie schlenderte mit einem Glas Bowle in der Hand zu den drei Kindern herüber.

«Eben habe ich mich mit den Ehefrauen der Astronauten unterhalten», erzählte sie leise. «Die haben insgeheim ziemlich große Angst um ihre Männer. Vor zweieinhalb Jahren hat es bei Apollo 1 nämlich einen Brand gegeben. Es war beim ganz gewöhnlichen Training, und die Rakete stand noch am Boden. Trotzdem sind dabei alle drei Astronauten gestorben.» Sie nippte an ihrer Bowle. «Seitdem haben die Frauen manchmal Albträume, dass ihren Männern etwas Ähnliches passieren könnte, wenn sie unterwegs zum Mond sind. Obwohl in der Zwischenzeit mehrere Apollo-Missionen ins Weltall und sogar um den Mond herumgeflogen sind, ohne dass ein weiteres Unglück passiert ist. Trotzdem ist eben jeder Flug ein Risiko.»

Lilly presste die Lippen aufeinander. «Wenn ich mir das so vorstelle», sagte sie langsamer, als es sonst ihre Art war, «dann bin ich eigentlich froh, dass meine Eltern keine Astronauten sind.»

Sie holten sich noch ein paar Hotdogs und sahen zu, wie Schneeball durch die Blumenbeete jagte, gefolgt von einer ganzen Meute Kinder. Als das Kaninchen quer über den Rasen schoss, rannten die schreienden Jungen und Mädchen beinahe einen Mann um, der vor Schreck sein Bowleglas fallen ließ. Lilly und Magnus lachten verhalten, doch Albert kniff die Augen zu forschenden Schlitzen zusammen.

«Den kennen wir doch», murmelte er. Aufmerksam

beobachtete er, wie der Mann das leere Glas aufhob und ein paar Grashalme davon wegschnipste. Sein Anzug war reichlich zerknittert, als hätte sich jemand draufgesetzt. Er trug eine Brille mit fleckigen Gläsern und einen auffallend langen, dichten Bart.

«Ich fresse einen Mondkrater, wenn das nicht Robert Pencil, der Reporter, ist», zischte Albert schließlich.

«Wo?», fragte Magnus erstaunt. Er blickte suchend um sich.

«Robert Pencil?» Lilly schüttelte den Kopf. «Den würden die Collins niemals einladen. Selbst, wenn er der Weihnachtsmann wäre und einen Schlitten voller Geschenke dabeihätte.»

«Aber er ist es!», beharrte Albert. «Ihr braucht euch nur den Bart von dem Typen da wegzudenken. Und auf eine Einladung pfeift der doch. Der lädt sich eh überall selbst ein.»

«Beim jodelnden Marsmenschen! Du hast recht!», sagte Magnus. «Das ist haargenau sein ewig gleicher Anzug.»

«Und seine schmutzige Brille», ergänzte Lilly.

«Und seine typische Art, Leute auszuquetschen», fuhr Albert fort. «Schaut mal, wie die sich alle genervt wegdrehen, sobald er sie anspricht.»

«Denkt ihr, was ich denke?» Lilly setzte ihre grimmigste Miene auf.

«Na, logo!» Magnus rieb sich vergnüglich die Hände. «Wir helfen Herrn Pencil bei der Entscheidung, die Party schnellstmöglich zu verlassen.»

«Sozusagen mit einem feurigen Abgang», grinste Albert und rollte hinüber zu dem Tisch mit den fertigen Hotdogs.

Es bereitete den dreien nicht die geringste Mühe, den verkleideten Reporter zu sich herüberzulocken. Sie plauderten einfach laut mit ernsten Gesichtern über den bevorstehenden Mondflug und ließen dabei Wörter wie «riskant», «gefährlich» und «geheim» fallen – schon witterte Robert Pencil eine Sensationsmeldung und gesellte sich wie rein zufällig zu ihnen. Die Kinder taten so, als wären sie von seinem Auftauchen überrascht, und verstummten augenblicklich. Natürlich bestärkte dies Robert Pencil nur noch mehr in seiner Vermutung, einer ganz heißen Sache auf der Spur zu sein.

«Darrrf ich mich vorrrstellen?», fragte er und verstellte seine Stimme, indem er das «R» übermäßig rollte. «Mein Name ist Karrrl Bleystift, Ingenieurrr aus Deutschland.»

«Sehr erfreut!», gab Albert sich höflich. «Was hat Sie denn nach Amerika verschlagen?»

«Ich bin mit dem berrrühmten Rrraketenforrrscherrr Werrrnherrr von Brrraun in die Staaten gekommen», spulte der Reporter herunter. «Wirrr haben zusammen die Saturrrn V entwickelt, mit derrr die Astrrronauten zum Mond fliegen werrrden.»

«Oh, dann wissen Sie sicherlich genau Bescheid über das Problem mit der Rakete, von dem wir gehört haben», tat Albert, als käme der falsche Karl Bleystift genau zum richtigen Zeitpunkt für ein kleines Fachgespräch.

«Natürrrlich», antwortete Robert Pencil alias Karl Bleystift. Lilly konnte sehen, wie sich seine Brillengläser vor Aufregung beschlugen. «Von welchem Prrroblem genau sprrrechen Sie?»

Er nickte Lilly beiläufig dankend zu, die ihm einen Hotdog gereicht hatte.

«Sie wissen schon ...» Albert beugte sich in seinem Rollstuhl ein Stückchen vor und senkte seine Stimme, sodass der Reporter sich zu ihm herabbücken musste. «Das geheime Problem! Von dem niemand wissen darf!»

Er sah verstohlen um sich, ob sie auch niemand beobachtete, und setzte sich wieder aufrecht hin. Robert Pencil geriet vor Aufregung immer mehr ins Schwitzen. Hier war er offenbar an einer Megastory dran, wie die Welt sie schon lange nicht mehr gelesen hatte. Er weitete mit dem Finger seinen Hemdkragen und biss hastig von dem Hotdog ab.

«Ah, dieses Prrroblem meinen Sie», lachte er gekünstelt auf. «Wie viel wissen Sie denn schon darrrüber? Dann kann ich Ihnen den Rrrest errrzählen.»

Er nahm einen weiteren Bissen vom Hotdog und schaute Albert erwartungsvoll an. Der Junge blickte abwartend zurück, während Robert Pencil kaute.

«5 ... 4 ... 3 ...», zählte Magnus leise. «... 2 ... 1 ... jetzt!»

«Poooaaaaaaahhhhhh!», rief der Reporter aus. Sein Kopf lief in Sekundenbruchteilen tomatenrot an. Er riss die Augen so weit auf, dass sie fast aus ihren Höhlen quollen. Wie ein Ertrinkender japste er nach Luft. Mit der linken Hand griff er sich an die Kehle, mit der rechten tastete er auf dem Tisch herum. Schließlich fand er die große Schüssel mit der Kinderbowle, fasste sie mit beiden Händen, riss sie empor zu seinem Mund und trank mit gierigen Schlucken, ohne abzusetzen, den gesamten Saft leer. Als er die Schüssel endlich zurückstellte, war ihm sein falscher Bart auf die Seite gerutscht, womit er aussah, als hätte jemand in seinem linken Ohr ein Getreidefeld angelegt. Entgeistert starrten ihn die Gäste der Grillparty an.

«Meine Güte, was habt ihr dem armen Kerl angetan?», fragte Tante Amelie kichernd.

«Wir dachten, ein Reporter würde auf scharfe Storys stehen», antwortete Albert mit einer engelhaften Unschuldsmiene. «Also haben wir ihm besonders viel Senf und Meerrettich in seinen Hotdog getan.»

Unter dem Gelächter der Gäste trat Michael Collins senior entschlossen auf den enttarnten Robert Pencil zu und griff ihn am Arm.

«Sie wollten sicherlich gerade gehen», sagte der Astronaut und zog den Reporter mit sich. Widerstandslos ließ dieser sich durch das Haus geleiten und in den Vorgarten schieben.

«Schnell, ans Küchenfenster!», schlug Albert vor. «Sonst verpassen wir den nächsten Akt der Show.»

Lilly und Magnus folgten ihrem Freund ins Haus und sahen erwartungsvoll aus dem Fenster. Dort trollte sich Robert Pencil schlechtgelaunt und mit einem Bart, der ihm nun wie ein Spoiler am Hinterkopf saß, zu seinem Auto. Doch bevor er es erreichte, stürzte ein zorniger kleiner Hund aus der Hecke auf ihn zu und verbiss sich in seinem Hosenbein. Schimpfend schleuderte Robert Pencil sein Bein vor und zurück, aber der Hund ließ nicht locker.

«Wusste ich doch, dass ich vorhin gesehen habe, wie Linus anmarschiert gekommen ist», lachte Albert. «Der lag garantiert den halben Nachmittag auf der Lauer und hat auf das erstbeste Opfer gewartet, das aus dem Haus kommt.»

Robert Pencil drehte sich inzwischen auf einem Bein hinkend um seine eigene Achse, wodurch Linus den Kontakt zum Boden verlor und knurrend durch die Luft wirbelte. Bis plötzlich das Hosenbein des Reporters nachgab und der Hund mit einem großen Fetzen Stoff im Maul auf den Rasen geschleudert wurde. Geistesgegenwärtig nutzte Robert Pencil die Chance, sprang in sein Auto und raste davon. Zufrieden rappelte Linus sich hoch. Diesem Menschen hatte er gründlich gezeigt, wer hier im Viertel der Boss war. Mit wedelndem Schwanz und einem ordentlichen Stück Beute in der Schnauze dackelte er die Straße hinunter.

10 ... 9 ... 8 ... 7 ...

Ermutigt von der Leichtigkeit, mit der sie den verkleideten Reporter auf dem Grillfest enttarnt hatten,
stürzten Albert, Lilly und Tante Amelie sich in den
folgenden Tagen erneut in die Suche nach Dubios.
Und wirklich entdeckten sie ihn eines Morgens mit
einer der Überwachungskameras, die überall auf
dem Gelände der NASA montiert waren. Wie geölte
Raketen sausten Lilly, Tante Amelie und Fähnrich
Clemens los, um den Bösewicht abzufangen, während Albert ihn am Bildschirm nicht aus den Augen
ließ. So erlebte er mit, wie die drei auf Dubios zu
spurteten und Sam, der mit seinen langen Beinen
vorneweg lief, mit einem kühnen Sprung über eine
kleine Absperrung auf der Straße setzte. Zu spät bemerkte der junge Fähnrich, dass dahinter ein offener
Gully auf ihn wartete, und mit vollem Schwung verschwand er in dem Loch. Nur eine Hand ragte noch
heraus, und mit der klammerte er sich an Lillys Bein,
die gerade vorbeilaufen wollte. Albert schlug sich vor
Unmut über Sams Trotteligkeit gegen die Stirn, als
Lilly hinfiel und Tante Amelie anhielt, um den beiden zu helfen. Dubios war während dieses peinlichen
Schauspiels natürlich längst verschwunden.

Kurz darauf tobte Lilly vor Wut darüber, dass der Fiesling ihnen abermals entwischt war. Mit aufgeschlagenen Knien und einer verschrammten Wange marschierte sie zum Chef der Sicherheit, um von ihm einen anderen Aufpasser zu fordern als Sam Clemens. Doch als der Offizier sie auf dem Flur in seine Richtung kommen sah, verdrückte er sich eilends in seinem Büro und schloss die Tür von innen ab. Offenbar warf er in der Hektik sogar höchstselbst irrtümlich den Schlüssel aus dem Fenster, denn Lilly hörte noch, wie er befahl: «Sam, hol mal meinen Schlüssel von draußen rauf! Und schieb ihn mir dann durch den Spalt unter der Tür durch, klar?!»

Sam Clemens war durch diesen neuen Misserfolg sichtlich geknickt und gab sich darum ab sofort zehnfache Mühe, seine Fehler wiedergutzumachen. Dabei war er leider ein bisschen zu übereifrig. Noch am selben Nachmittag stürzte er sich mit einem Schrei auf den Lehrer einer Schulklasse, die einen Ausflug zum NASA-Gelände machte. Nur, weil der Arme einen Schnurrbart trug, der jedoch nicht einmal halb so groß war wie jener von Dubios.

«So wird das nie etwas», seufzte Lilly aus tiefstem Herzen. «Wenn wir Dubios fangen wollen, obwohl uns dieser Sam hilft, brauchen wir ein Wunder!»

«Oder eine Geheimwaffe!», ergänzte Tante Amelie. Doch Albert und Lilly reagierten nicht auf ihre Bemerkung. Denn woher sollten sie so eine Geheimwaffe bekommen?

Für den Rest des Tages gaben sie die Jagd jedenfalls auf. Stattdessen schlenderten sie zum Kontrollraum, um Flight und seinen Flugleitern mal wieder zuzusehen. Sie waren kaum angekommen, da klopfte es an der Tür, und Phil Screwer steckte seinen Kopf herein.

«Äh, hallo!», grüßte er in die Runde. Dann entdeckte er Albert. «Hast du einen Augenblick Zeit?», fragte er den Jungen. «Und Lilly vielleicht auch?»

«Ist Magnus etwas passiert?», platzten die beiden gleichzeitig heraus.

«Nee!» Der NASA-Techniker schüttelte den Kopf. «Er wartet draußen auf uns. Mit ... na, ihr wisst schon, hat er gesagt: Die Sache, von der ihr nichts wisst.»

Flight sah ihn verständnislos an.

«Mensch, Screwer, was reden Sie da für ein zusammenhangloses Zeug?», fragte er.

Doch Albert und Lilly hatten schon verstanden. Die Überraschung, an der Magnus und Phil gebastelt hatten, war anscheinend endlich fertig.

«Wir sind gleich wieder da», kündigten die Kinder an und folgten dem Techniker.

Draußen stand Magnus mit einem Strahlen, das sich vom einen Ohr zum anderen quer über sein Gesicht zog. Hinter ihm türmte sich ein großer Wust von Geschenkpapier mit einer breiten Stoffschleife rundherum.

«Wow! Ihr habt Altpapier gesammelt», scherzte

Lilly. Sie schritt skeptisch im Kreis um den geknüllten Haufen.

«Quatsch! Das lässt sich nur nicht besser einpacken», widersprach Magnus, der sich seine gute Laune nicht nehmen ließ. «Wickel es aus, Albert!»

«Ich?», wunderte sich Albert. «Warum denn ich?»

«Wirst du schon sehen», entgegnete Phil Screwer knapp. Er hatte inzwischen das gleiche Grinsen aufgesetzt wie Magnus.

Albert zuckte mit den Schultern und fasste zwischen zwei Bahnen Geschenkpapier. Schwungvoll zog er sie auseinander und stockte. Zum Vorschein kam ein blitzender Rahmen aus Leichtaluminium mit aerodynamischer Verkleidung und einem stabilisierenden Spoiler. Seitwärts hatte er zwei Vollscheibenräder, die einzeln federnd aufgehängt waren, und vorne ein einzelnes flexibles Rad, das an einer Lenkkonsole voller Schalter und Knöpfe befestigt war. Das Ganze war trotz dieser Ausstattung ungewöhnlich schmal gehalten und wirkte ungemein elegant.

«Was ... ist ... das?», stammelte Albert. Seine Finger glitten beinahe zärtlich über die Konstruktion, die in der Sonne glänzte.

«Wir nennen es das A-Mobil», antwortete Magnus. «*Albert-Mobil* kam uns zu lang vor. Und einfach *Rollstuhl* würde die Sache nicht mehr so ganz treffen.»

«Wir haben eine halbe Ewigkeit auf die Wache am Eingang einreden müssen, bis sie uns mit dem Ding durchgelassen hat», erzählte Phil Screwer.

«Die dachten wohl, es wäre so eine Art fahrbare Bombe.»

«Ehrlich gesagt, sieht es auch ein bisschen danach aus», gab Lilly zu bedenken.

«Ach was, ist alles getestet», versicherte Magnus. «Die Beulen, die darin steckten, habe ich mir schon geholt. Los, probier es aus!»

Albert zögerte eine Sekunde. Halbfertige Erfindungen und Prototypen kannte er von der Arbeit seines Vaters zur Genüge. Wie oft hatten er und seine Freunde sich beim unfreiwilligen Testen blaue Flecken geholt. Und nun sollte er sich in dieses – zugegeben, sehr schicke – Hightechdreirad setzen? Magnus schaute ihn auffordernd an. Albert blinzelte, so sehr blendete das polierte Alu. Es gab dem A-Mobil ein wenig das Aussehen einer Rakete. Rakete – das war das richtige Stichwort, schoss es Albert durch den Kopf. Verflixt! Sie befanden sich auf einem Stützpunkt voller Astronauten und Testpiloten. Er hatte hier nichts verloren, wenn er nicht eine ordentliche Portion Mut zeigte. *Ohne Risiko geht es eben nicht!*, hatte Buzz Aldrin vor ein paar Tagen gesagt. Albert biss sich auf die Unterlippe und hievte sich entschlossen aus seinem Rollstuhl auf den Schalensitz des A-Mobils. Er legte den Sicherheitsgurt an.

«Dann mal heraus mit der Sprache», forderte er Magnus und Phil auf. «Erklärt mir, wie das Ding funktioniert!»

Eine volle halbe Stunde kurvte Albert auf dem

NASA-Gelände herum und war mit jeder Minute begeisterter. Der Unterschied zwischen seinem alten Rollstuhl und dem A-Mobil war ungefähr so groß wie zwischen einer rheumatischen Schildkröte und einem jagenden schwarzen Panther. Egal, ob Albert per Hand an den Seitenrädern Schwung gab, den ultraleisen Elektromotor nutzte oder auf den kraftvollen Raketenantrieb umschaltete, immer hatte er volle Kontrolle über die Fahrt. Die Steuerung des A-Mobils reagierte auf den kleinsten Befehl, und die Federung sorgte selbst bei Touren über Bordsteinkanten und andere Unebenheiten für einen glatten Lauf.

«Phantastisch!», jubelte der Junge. «Mann, damit könnte ich glatt die Mondrakete abhängen, wenn es losgeht.»

«Nicht ganz», bremste ihn Magnus. «Aber dafür haben wir in das A-Mobil ein paar zusätzliche Tricks eingebaut, die vielleicht recht nützlich sein könnten.» Er lehnte sich über das Kontrollpult mit den verschiedenen Schaltern. «Siehst du den blauen Knopf hier? Wenn du den drückst, fährt der Teleskopsitz aus. Sozusagen ein gutes Stück in Richtung Himmel, deshalb haben wir den Knopf blau gemacht. Und mit dem grünen da ...»

Albert und Lilly kamen aus dem Staunen nicht heraus. Magnus und Phil hatten mit dem A-Mobil ein kleines Wunderwerk geschaffen, in dem Albert auf fast alle erdenklichen Situationen vorbereitet war.

«Boah! Solche Schlitten haben sonst nur die Spezialagenten in den Spionagefilmen», staunte Lilly. Und unwillkürlich kam ihr das Wort *Geheimwaffe* wieder in den Sinn.

Von diesem Tag an fuhr Albert nur noch in dem A-Mobil herum. Mit besonderer Freude reichte er Tante Amelie beim Decken des Frühstückstischs die Gläser aus dem obersten Fach des Küchenschranks, das er mit dem Teleskopsitz als Einziger mühelos erreichte. Er pustete Linus eine Portion Niespulver aus einem geheimen Reservoir am hinteren Teil des Mobils vor die Nase, als der Hund knurrend und kläffend auf ihn zu raste. Und er schlürfte genüsslich kalte Limonade aus dem Kühlfach, während er den Männern im Kontrollzentrum zusah, wie sie die letzten Vorbereitungen für den Flug zum Mond trafen. Nur bei der Suche nach Dubios konnte er seinen Wunderstuhl nicht einsetzen, denn der Halunke war wie vom Erdboden verschluckt.

Dann endlich war es so weit – für den nächsten Morgen war der Start angesetzt. Tante Amelie, Lilly und Magnus waren bereits einen Tag früher nach Florida geflogen, weil sie unbedingt selbst sehen wollten, wie die riesige Saturn V mit den drei Astronauten an Bord abhob. Albert hatte dagegen die Einladung von Flight angenommen, das Ereignis im Kontrollzentrum in Texas mitzuerleben. Er hatte dafür extra bis weit in den Nachmittag hinein geschlafen, denn die ganze Nacht über herrschte Hochbetrieb in Houston.

Anfangs waren die Männer an den Kontrollpulten nervös, weil dieses Mal unbedingt alles richtig laufen musste. Ein einziger Fehler, und die Arbeit der letzten Monate wäre umsonst. Und die drei Astronauten vielleicht sogar tot ... Kein Wunder, dass so manchem der Schweiß auf die Stirn trat. Aber schon bald machte sich das viele Üben bemerkbar. Jeder Handgriff war tausendfach erprobt, jede Meldung an Flight kam genau zum vorbestimmten Zeitpunkt. Und es sah alles gut aus. Keines der Instrumente meldete auch nur die kleinste Abweichung vom Plan. Die Saturn-V-Rakete war offenbar bestens in Schuss. Und die Signale mit den Lebenszeichen der Astronauten, die per Funk nach Houston ins Kontrollzentrum übertragen wurden, bestätigten, dass Neil Armstrong, Buzz Aldrin und Michael Collins völlig cool blieben in ihren Raumanzügen hoch oben in ihrer Kapsel an der Spitze der Rakete.

«T minus 30 Minuten ... und weiter», meldete einer der Männer über Lautsprecher. Eine halbe Stunde noch bis zum Start. Albert spürte, wie sein Herz allmählich schneller schlug.

«Ich dreh gleich am Rad!», rief Lilly zur selben Zeit in Florida. «So lange halte ich das unmöglich aus!»

Sie hockte zusammen mit Magnus und Tante Amelie und Tausenden weiterer Schaulustiger am Strand des Atlantischen Ozeans und schaute hinüber zum Kennedy Space Center, wo die riesige Saturn V auf der Startrampe stand und 111 Meter in den Himmel ragte. 3000 Tonnen wog die Rakete, so viel wie 1000 Elefanten, hatte Albert ihr erzählt. Und das meiste davon war hochexplosiver Treibstoff. Die Astronauten hatten in ihrer Kommandokapsel vermutlich den gefährlichsten Sitzplatz der Welt. Wie konnten sie

nur ruhig abwarten, bis jemand diese Höllenladung unter ihnen anzündete?, fragte sich Lilly.

«Noch 15 Minuten bis zum Start», plärrte es aus dem Radio, das eine Familie neben ihnen dabeihatte. Lilly blickte sich um. Der Strand war übersät mit Menschen. Und alle stierten geduldig, mit bloßen Augen oder durch Ferngläser, zur Startrampe hinüber. Nur ein paar Kinder, die zu klein waren, um zu verstehen, was da gerade passierte, spielten ausgelassen Fangen.

«T minus 60 Sekunden!», tönte es nach einer Weile aus dem Radio. Lilly sah erneut zur Mondrakete hinüber. «Die Saturn hat nun auf ihre eigene Stromversorgung umgeschaltet. Noch 30 Sekunden! Die Astronauten haben gemeldet, dass sie sich gut fühlen. Noch 20 Sekunden! ... 15 ... 10 ... 9 ...»

Weißer Rauch stieg unten aus den Triebwerken hervor. Lilly sog scharf die Luft ein. Lief da etwas schief? «Die Triebwerke haben gezündet», beruhigte sie das Radio. «Noch 7 ... 6 ... 5 ...»

Lilly wunderte sich, dass sie kein Grollen der gewaltigen Raketenmotoren hörte. Nur der weiße Qualm war zu sehen, wie er den unteren Teil der Saturn immer weiter einnebelte.

«... 4 ... 3 ... 1 ... Start!» Die Stimme des Radiosprechers überschlug sich beinahe. «Liebe Zuhörer, wir schreiben den 16. Juli 1969, hier in Florida ist es 9:32 Uhr, und in diesen Augenblicken hebt die Rakete mit den tapferen Astronauten an Bord ab, auf dem Weg zu ihrem Ziel, auf dem Weg zum Mond!»

Tatsächlich! Zunächst ganz langsam, dann immer schneller schob der Feuerstrahl die mächtige Saturn V empor. Nach kurzer Zeit hatte sie die Startrampe hinter sich gelassen und stieg weiter in den Himmel. Und jetzt erreichte die Zuschauer am Strand auch der Donner der Triebwerke. Wie bei einem Gewitter hatte der Schall einige Sekunden gebraucht, um die weite Strecke zwischen Startrampe und Zuschauern zurückzulegen. Lilly kam es vor, als würde ein Güterzug direkt durch ihren Kopf fahren, so laut war das Dröhnen. Es kam nicht nur durch die Luft, auch der Boden unter ihren Füßen vibrierte. Sie verfolgte den Flug der Rakete, die bereits viele Kilometer über ihnen war. Das war toll!, fand Lilly. Einfach unbeschreiblich! Das Beste, was sie je gesehen hatte! Und sie merkte gar nicht, wie sie und alle Leute um sie herum vor Begeisterung laut schrien.

Während Tante Amelie, Lilly und Magnus lautstark ihrer Freude Luft machten, starrte Albert im Kontrollzentrum angespannt auf die Bildschirme mit den Anzeigen der Instrumente. An den Pulswerten konnte er ablesen, dass die Astronauten nun doch ein wenig angestrengt waren. Allerdings nicht mehr als beim morgendlichen Joggen.

«Apollo, hier ist Houston», sagte der Sprecher für die Verbindung zur Rakete in sein Mikrophon. «Ihr

seid fast drei Minuten unterwegs. Gleich wird die
erste Stufe abgeworfen.»

«Verstanden, Houston», meldete sich Neil Armstrong. «Stufentrennung steht bevor.»

Albert wusste, dass dies der nächste kritische Moment war. Die Saturn V bestand eigentlich aus drei übereinandergestapelten Raketen, die «Stufen» genannt wurden. Sie wurden nacheinander gezündet, und jede ausgebrannte Stufe musste abgeworfen werden, um das restliche Raumschiff leichter zu machen. Am Boden war das eine leichte Aufgabe. Aber die Saturn V war inzwischen 9000 Kilometer pro Stunde schnell, ein Tempo, mit dem sie nur rund vier Minuten gebraucht hätte, um von Hamburg nach München zu fliegen.

«Erste Stufe ausgebrannt», hörte Albert über Lautsprecher Neil Armstrong sagen. «Und abgetrennt. Zweite Stufe hat gezündet.»

Ein leises Aufatmen ging durch den Raum. Das war geschafft. Aber noch war die Anspannung nicht zu Ende. Neun Minuten nach dem Start wurde auch die zweite Stufe abgetrennt. Diesmal bei 25 000 Kilometern in der Stunde. Albert rechnete mit dem Taschenrechner, der in der Konsole seines A-Mobils steckte, schnell aus, dass die Strecke von Hamburg nach München damit nur anderthalb Minuten dauern würde. Allerdings gäbe es garantiert heftige Beschwerden von den Fahrgästen, denn durch die Beschleunigung wurden die Astronauten so kräftig in ihre Sitze gedrückt, als würden sie viermal so viel wiegen wie sonst.

«Apollo, hier Houston. Eure Flugzeit beträgt gleich 11 Minuten und 42 Sekunden. Ihr erreicht nun die stabile Erdumlaufbahn in 187 Kilometern Höhe. Die dritte Stufe schaltet sich ... JETZT aus.»

«Houston, hier Apollo. Bestätigt, Triebwerk ist aus», antwortete Armstrong.

Im Kontrollzentrum brach heftiger Jubel aus. Die erste große Etappe auf dem Weg zum Mond war gemeistert – die oberste Raketenstufe mit den Astronauten war auf einer Umlaufbahn um die Erde, wo sie sich ohne Antrieb halten konnte. Abstürzen konnten die drei also nicht mehr. Im Gegenteil ...

«He, Houston», rief Michael Collins. «Wir fühlen uns plötzlich so flockig und leicht. Buzz hat sogar seinen Gurt gelöst und schwebt direkt vor meiner Nase herum. Ihr da unten glaubt nicht, was der für einen großen Hintern hat!»

Die Männer am Boden lachten. Selbst Flight lächelte. Aber nur ganz kurz, dann wurde er wieder ernst. «Ihr habt später genug Zeit für eure Spielchen mit der Schwerelosigkeit», sagte er streng. «Jetzt müssen wir nochmal checken, ob alle Systeme den Start unbeschadet überstanden haben. Dann geht die Reise weiter. Ihr wollt doch zum Mond, oder?»

«Na klar», brummte Buzz Aldrin über Lautsprecher. «Da oben hat wenigstens niemand etwas gegen meinen dicken Po einzuwenden.»

Albert grinste. Die Mission lief einfach prima. Sogar besser, als die Leute von der NASA es sich erhofft hatten. So gut, dass keiner mehr an den Saboteur dachte.

Doppeltes Risiko

Zurück in Texas, schaltete Lilly als Erstes den Fernseher ein, obwohl es schon ziemlich spät abends war. Trotzdem wollte sie auf keinen Fall auch nur eine Minute von den Übertragungen des Mondflugs verpassen. Inzwischen war bereits die dritte und letzte große Antriebsstufe der Rakete abgetrennt worden, und übrig waren nur noch die *Columbia* genannte Kommandoeinheit und das Landemodul *Adler*. Albert berichtete enthusiastisch von dem Manöver, bei dem die Astronauten die *Columbia* im Weltall gewendet und mit der Nase voran an das Landemodul angedockt hatten.

«Dabei hat Michael Collins die Steuerung übernommen. Wenn er nur einmal in die verkehrte Richtung gelenkt hätte, wären *Columbia* und *Adler* zusammengeknallt, und alles wäre aus und vorbei gewesen. Einer der Männer im Kontrollraum hat vor Aufregung alle Fingernägel seiner linken Hand abgekaut, ohne es zu merken. Würde mich nicht wundern, wenn der heute Bauchschmerzen hätte.»

«Für die Astronauten gibt es nach der Aufregung jetzt erst mal wenig zu tun», erzählte er weiter. «Also durften sie sich schlafen legen. Dafür ziehen sie sich bequeme Klamotten an und kriechen in ihre Schlafsäcke, sagt Flight.» Er überlegte einen Moment. «Das muss komisch sein ... in der Schwerelosigkeit zu schlafen. Ich meine ... da gibt es kein Oben und Unten. Eigentlich ‹liegt› man dort nicht einmal, man ‹hängt› eher herum. Vielleicht sogar über Kopf, und das kommt einem trotzdem völlig normal vor.»

«So wie zwei kleine Raumfahrt-Fans, die so müde sind, dass sie beim Zuhören einschlafen?», fragte Tante Amelie flüsternd. Albert sah sie verwundert an. Dann fiel ihm ebenfalls das leise Schnarchen auf, das vom Sofa ertönte. Lilly und Magnus waren erschöpft eingeschlafen. Die vergangenen Tage hatten sie ständig mit den Astronauten mitgefiebert, waren nach Florida und zurück geflogen, hatten den Start der Rakete und die Begeisterung der Zuschauer genossen ... und waren nun von der Erschöpfung eingeholt worden.

«Ich schlage vor, wir lassen die beiden einfach hier liegen und gehen auch ins Bett», sagte Tante Amelie. «Und morgen fahren wir gemeinsam ins Kontrollzentrum. Das dürfte der beste Platz sein, um alles Weitere hautnah mitzuerleben.»

«Der zweitbeste!», korrigierte Albert sie. «Den allerbesten haben Armstrong, Aldrin und Collins.»

Tante Amelie lächelte zustimmend. «Aber ehrlich gesagt, sind mir mein weiches Bett und mein flauschiges Kopfkissen im Moment lieber als ein dünner Schlafsack in einer engen Kabine, in der noch zwei weitere Leute schlafen wollen», meinte sie und gab Albert einen Gute-Nacht-Kuss auf die Stirn.

Der zweite und dritte Tag von Apollo 11 verliefen ruhig und gemütlich. Wenigstens für die Astronauten in ihrem Raumschiff. Weil der Computer ihren Kurs supergenau berechnet hatte, brauchten sie weder zu steuern noch irgendwelche anderen Aufgaben zu erledigen – und hatten deshalb Zeit fürs Fernsehen. Allerdings durften sie nicht gemütlich Filme schauen, sondern sie waren selbst die Stars. In mehreren kleinen und großen Live-Schaltungen informierten Neil Armstrong, Buzz Aldrin und Michael Collins ihre Mitmenschen auf der Erde über das Leben im All. Sie ließen Stifte durch die Kapsel

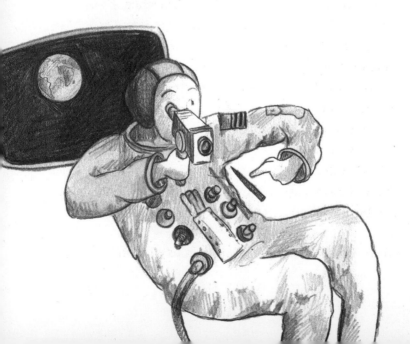

schweben, spielten abwechselnd menschlicher Kreisel und richteten die Kamera auf eine blaue Kugel mit weißen Streifen, die vor dem Fenster des Raumschiffs ganz alleine in der tiefen Schwärze des Weltraums leuchtete.

«Das ist unsere Erde, liebe Zuschauer», sagte Neil Armstrong. «Sie ist mit Abstand der schönste Anblick weit und breit. Und viel zu klein, um sich auf ihr herumzuzanken.»

«Wäre nicht schlecht, wenn Dubios das gehört hätte», murmelte Lilly. Sie verfolgte zusammen mit Albert, Magnus und Tante Amelie die Übertragung vom Kontrollzentrum aus. «Als ich mir vorhin einen Schluck Wasser geholt habe, ist mir der Unglückswurm Sam Clemens über den Weg gelaufen. Er sagt, dass Dubios anscheinend wieder aktiv ist. Jedenfalls haben sie in den Computern und technischen Anlagen mehrere Fehler entdeckt, die vor ein paar Tagen noch nicht da waren.»

«Ach, du dicker Komet!» Magnus verzog das Gesicht, als hätte er sich in einen Eimer mit Schmieröl gesetzt. «Und was nun?»

«Nun stehen überall Wachen herum», antwortete Lilly. «Und ich treffe mich in einer Viertelstunde mit Sam. Wir wollen gemeinsam Streife laufen.»

«Du und Sam?» Albert zog ungläubig die Augenbrauen hoch. «Ich dachte, der geht dir auf die Nerven.»

«Ohne ihn darf ich aber nicht nach Dubios suchen», erinnerte Lilly Albert. «Ihr könnt meinetwegen hierbleiben. Auf den Fluren wimmelt es sowieso von Sicherheitsmännern. Eigentlich hat Dubios keine Chance. Aber ich habe keine ruhige Sekunde, wenn ich nicht selbst hinter ihm her bin.»

Michael Collins demonstrierte gerade auf dem Bildschirm, wie er aus einem trockenen Pulver mit schrumpeligen Klümpchen durch Zugabe von heißem Wasser im Handumdrehen eine Portion Rindergulasch zauberte, als Lilly den Kontrollraum verließ.

«Schmeckt echt lecker!», behauptete der Astronaut.

«Na, dann mal ‹Prost Mahlzeit!›», sagte Magnus, während er Lilly nachblickte. Und Albert fragte sich, ob sein Freund damit die Weltraumkost gemeint hatte oder den Umstand, dass Dubios trotz aller Vorsichtsmaßnahmen weiterhin sein Unwesen trieb.

Der folgende Tag war ein Sonntag – und es war der entscheidende Tag. Das Raumschiff war auf eine Umlaufbahn um den Mond eingeschwenkt, und heute sollten Neil Armstrong und Edwin Aldrin mit dem *Adler* zur Oberfläche hinabsinken, dort landen und als erste Menschen den Mond betreten. Lilly hatte lange überlegt, ob sie mit den anderen im Kontrollzentrum zuschauen wollte. Dann hatte sie sich aber dafür entschieden, weiter mit den Männern von der Sicherheit dafür zu sorgen, dass Dubios nicht im letzten Augenblick zum großen Schlag ausholen konnte.

Albert, Magnus und Tante Amelie verfolgten den Funkverkehr, der zwischendurch immer wieder abbrach, wenn das Raumschiff vorübergehend hinter dem Mond verschwand. Es kreiste in etwa 110 Kilometern Höhe über dessen Oberfläche, mehr als 340 000 Kilometer von der Erde entfernt. Ziemlich genau zwei Stunden brauchte es für eine Runde. Armstrong und Aldrin wühlten sich in ihre unhandlichen Raumanzüge, schwebten in den *Adler* hinüber und inspizierten die Instrumente. Gleichzeitig kontrollierten die Flugleiter am Boden die Werte auf ihren Anzeigen.

«Hier Control. Klar für GO!»

«FIDO ist bereit für GO!»

«Guidance ist auf GO!»

Eine Station nach der anderen meldete dem Flugdirektor, dass alles in Ordnung war. Flight rieb sich zufrieden die Hände.

«Leute, ihr seid das beste Team, mit dem ich jemals gearbeitet habe!», rief er seinen Männern zu. «Nach dem ganzen Training machen wir es jetzt wirklich – wir landen auf dem Mond! Nun kommt es drauf an ...» Er wandte sich an seinen Capcom, der als Einziger eine direkte Funkverbindung zu den Astronauten hatte. «Gib Ihnen das GO für den Abstieg zum Mond!»

«Apollo 11, hier ist Houston», sprach Capcom klar und deutlich in sein Mikrophon. «Ihr habt GO für den Abstieg.»

«Houston, hier ist Adler», krächzte es aus den Lautsprechern. «Verstanden! Wir sind bereit.»

«Houston, Columbia hier», meldete sich auch Michael Collins, der allein in der Kommandokapsel zurückgeblieben war. «Ich werde ein paar schöne Fotos schießen, wenn der Adler losfliegt.»

«Columbia, hier Houston», scherzte Capcom. «Vergiss aber nicht, vorher den Deckel vom Objektiv zu nehmen!»

Statt einer Antwort erfüllte nur knackendes Rauschen den Raum. Das Raumschiff war erneut hinter dem Mond verschwunden. Als es wiederauftauchte, meldete sich Neil Armstrong zu Wort.

«Der Adler hat Flügel!», rief er. Das Landemodul war erfolgreich abgekoppelt und machte sich auf zur letzten Etappe.

Draußen vor dem Gebäude witterte Lilly Unheil. Sie ging mit dem Fähnrich Sam Clemens Streife auf dem Gelände des Raumfahrtzentrums. Über ihnen zog Merlin aufmerksam seine Kreise. Lilly hatte die Dohle extra mitgebracht, weil sie vielleicht Dubios aus der Luft erspähen und Alarm schlagen konnte. Doch bislang war nicht einmal die Schnurrbartspitze des Erzgauners zu entdecken. Das machte Lilly nur noch nervöser.

«Dubios bleiben wenige Stunden, wenn er die Mondlandung verhindern will», sagte sie bereits zum fünften Mal. «Ich bin mir sicher, dass er jetzt alles auf eine Karte setzen wird.»

«Dann muss er sich aber ziemlich was einfallen lassen», versuchte Sam, sie zu beruhigen. «Alle empfindlichen Bereiche sind doppelt und dreifach gesichert. Sobald er oder jemand anderer ohne Sondergenehmigung versucht, sich Zutritt zu verschaffen, nehmen ihn die Wachposten fest. Wir haben diesen Dubios schön in die Enge getrieben!»

«Das ist es ja eben», sagte Lilly ernst. «Genau dann ist er am gefährlichsten!»

«Houston, hier Adler!» Im Kontrollraum richteten sich alle Augen auf die Lautsprecher an den Wänden, aus denen Neil Armstrongs Stimme kam. «Wir kommen dem Mond immer näher. Sieht total irre aus. Ganz anders als von der Erde. Richtig dreidimensional, mit hohen Bergen, tiefen Einschnitten und jeder Menge Krater.»

«Adler, hier Houston. Hoffen wir mal, dass der Boden nachher auch schön fest ist und ihr nicht in einer meterdicken Schicht aus losem Staub und Sand versinkt.»

Buzz Aldrin lachte im Hintergrund. Flight fand die Bemerkung hingegen gar nicht komisch. Weil außer ein paar unbemannten Sonden noch niemand wirklich auf dem Mond gewesen war, wusste auch keiner mit Sicherheit, ob er überhaupt fest genug war, um einen Menschen zu tragen – geschweige denn ein Landemodul.

«Für den Fall, dass sie wegsacken, haben wir unser Notstartprotokoll», sagte Flight zu den Flugleitern. «Am besten, ihr geht die Punkte schnell noch einmal durch, solange wir genügend Zeit haben.»

«Verd...!» Einer der Männer wühlte hektisch in seinen Unterlagen. «Flight! Ich fürchte, ich habe mein Protokoll im Besprechungszimmer vergessen.»

Die Ohren des schusseligen Flugleiters liefen rot an. Flight wurde dagegen bleich. Was nun? Wenn der *Adler* beim Landeversuch tatsächlich in Schwierigkeiten geraten sollte, musste alles ganz schnell gehen. Dann gab es keine Zeit für Fragen und Überlegungen. Also brauchte jeder seine Anleitung für den Notfall. Ohne Ausnahme. Andererseits konnte in dieser Phase der Mission keiner der Flugleiter einfach losgehen und vergessene Unterlagen einsammeln. Es war eine verflixte Zwickmühle ...

«Ich kann es holen», sagte Albert da. Er rollte mit seinem A-Mobil zu Flight hinüber. «Ich weiß, wo das Besprechungszimmer ist. In zwei Minuten bin ich wieder da. Mit dem Protokoll.»

«Zisch los!», kommandierte Flight knapp. Jetzt zahlte es sich aus, dass er dem Jungen erlaubt hatte, überall dabei zu sein. Erleichtert atmete er auf, als Albert den Elektromotor seines Hightech-Stuhls anwarf und auf die Tür zusteuerte.

Albert surrte den Gang entlang. Sein Ziel lag in einem anderen Stockwerk, also fuhr er in den Fahrstuhl, drückte den Knopf und stellte sich vor, er säße in einer Rakete, als der Lift anfuhr. Sein Höhenflug transportierte ihn jedoch nur über zwei Etagen. Als Albert auf den Flur einbog, fiel ihm sofort der Wachposten auf, der vor einer Tür aufgezogen war. *Natürlich, dahinter ist ja einer der Computerräume*, erinnerte der Junge sich. Er musste an Dubios denken und daran, wie verletzlich die drei Astronauten dort oben in ihrem kleinen Raumschiff waren. Ein mulmiges Gefühl durchzog seinen Magen. Albert wollte gerade an dem Wachmann vorbeirollen, als ein paar Meter weiter die Tür des benachbarten Zimmers aufging. Ein Techniker im typischen NASA-Overall trat heraus und schaute kurz nach links und rechts. Albert traf fast der Schlag. Der Mann war zwar glattrasiert und hatte sogar eine Glatze, aber dennoch war sein stechender Blick unverkennbar – es war Dubios!

In Bruchteilen einer Sekunde hatte auch Dubios den verhassten Jungen erkannt und festgestellt, dass er gegen Albert und den kräftigen Sicherheitsposten wenig ausrichten konnte. Also stieß er einen halbunterdrückten Fluch aus und rannte los, den Gang entlang.

«Das ist er!», rief Albert in heller Aufregung. «Dubios! Der Spion!» Er kippte den Steuerknüppel des A-Mobils so weit nach vorne wie nur möglich und machte sich an die Verfolgung. *So ein Pech, dass ich hier drinnen nicht den Raketenantrieb benutzen kann, ohne das ganze Gebäude abzufackeln,* ärgerte er sich innerlich. *Sonst hätte ich den Mistkerl schon eingeholt.*

Der Wachmann sah der Szene, die sich direkt vor seiner Nase abspielte, einen Moment verdattert zu. Ein Techniker lief den Korridor hinunter, verfolgt von einem schreienden Jungen im Rollstuhl ... Wie sollte er darauf reagieren? Hinterherlaufen? Aber er durfte doch seinen Posten nicht verlassen! Unsicher entschied er, vorsichtshalber Alarm zu schlagen. Er griff sich sein Funkgerät und benachrichtigte das gesamte Sicherheitsteam.

Meter für Meter kam Albert näher. Sein A-Mobil war ein wahres Wunder der Technik – und es war die Geheimwaffe, die Dubios nun zur Strecke bringen würde. Nur noch ein Meter trennte ihn und den Verbrecher voneinander. Albert steuerte sich mit seiner linken Hand in die richtige Position. Mit der rechten tastete er nach dem Knopf für die Fußschlingen-Schleuder. Das musste er sein! Entschlossen drückte Albert auf den Schalter ... und stellte zu seinem Schrecken fest, dass er zu wachsen schien. Eben noch waren seine Augen auf der Höhe von Dubios' Bauch gewesen, jetzt waren sie beide gleich groß, und einen Augenblick später musste Albert den Kopf einziehen, um nicht mit den Deckenlampen zusammenzustoßen. Er hatte den falschen Knopf erwischt und den Teleskopsitz ausgefahren!

«So ein rostiger Satellitenschrott!», schimpfte Albert. Hastig hantierte er an der Kontrolleinheit, und sein Sitz sank langsam wieder herab. Doch es war zu spät. Dubios hatte knapp vor ihm das Ende des Ganges erreicht und die Tür nach draußen aufgerissen. Mit einem schmutzigen triumphierenden Lachen schwang er sich die Stufen der Feuertreppe hinunter. Albert sah ihm nach und heulte vor Wut auf. Treppensteigen war eine der wenigen Fähigkeiten, die sein A-Mobil nicht beherrschte. Für Albert endete hier die Jagd. Vor Wut stiegen ihm Tränen in die Augen. Dubios war wieder einmal entwischt!

Oder? Albert trocknete sich eilig mit dem Ärmel die Augen. Fast hätte er es vergessen ... Sein A-Mobil hatte doch noch einen letzten Trick auf Lager! Diesmal wählte er sorgfältig einen Knopf, auf dem ein roter Totenkopf prangte. Aus einem verborgenen Fach fuhr ein kleines Rohr mit Zieleinrichtung hervor. Albert visierte schnell den Rücken des flüchtenden Gauners an.

«Hab dich!», murmelte er und drückte auf den Auslöser.

«Wo ist er?», keuchte Lilly eine knappe Minute später hinter ihm. Sie hielt sich die schmerzenden Seiten. Aber in ihren Augen glitzerte entschlossene Kampfbereitschaft. Der Fähnrich Sam Clemens und zwei weitere Sicherheitsleute kamen im Laufschritt den Gang entlang. In den Händen hielten sie geladene Maschinenpistolen.

«Die Feuertreppe runter und dann wer weiß wohin», antwortete Albert. «Ich konnte von hier oben nicht sehen, in welche Richtung er gerannt ist.»

«Verflixt!» Lilly stampfte heftig mit dem Fuß auf.

«Aber damit ...» Albert zog aus einer Schublade unter seinem Sitz ein kleines Kästchen hervor, das wie die Fernbedienung für ein Modellflugzeug aussah. Es hatte eine kurze Antenne und piepte leise. «... könnt ihr ihn aufstöbern.» Der Junge grinste hämisch. «Ich sage nur: Geheimwaffe!»

«Superkrass!», jubelte Lilly. «Dass du daran gedacht hast!»

Die Männer schauten die Kinder ratlos an, als hätten die beiden gerade mit Freuden eine doppelte Portion Spinat in Lebertransoße gegessen.

«Das ist ein Peilgerät», erklärte Albert ihnen. «Es zeigt durch sein Piepen an, in welcher Richtung der dazugehörige Sender zu finden ist. Und den habe ich Dubios eben hinten an seinen Overall geschossen. Ich glaube nicht, dass er es bemerkt hat, weil der Sender nur so klein ist. Aber dafür klebt er umso besser. Solange Dubios sich nicht umzieht, kann er sich also im hinterletzten Besenschrank oder der stinkigsten Mülltonne verstecken – wir finden ihn trotzdem.» Er überlegte kurz und reichte das Peilgerät dann Lilly. «Das heißt, *ihr* werdet ihn finden. *Ich* muss noch einen dringenden Auftrag für die Astronauten erledigen», sagte er.

Mit Schwung setzte er sein A-Mobil in Bewegung und rollte zum Besprechungszimmer, um endlich das Notfallprotokoll zu holen. Hoffentlich kam er nicht zu spät!

«So, Dubios», sagte Lilly grimmig. «Jetzt bist du fällig!» Sie kletterte die Feuertreppe hinab, hinter ihr Sam und die beiden schwerbewaffneten Sicherheitsleute.

«Houston, nach unseren Berechnungen sind wir etwas zu schnell und schießen ein paar Kilometer über das Ziel hinaus.»

Neil Armstrong klang nicht wirklich besorgt. Dennoch war diese Abweichung vom Kurs der erste Hinweis darauf, dass die Mission nicht mehr ganz zu 100 Prozent wie vorgesehen verlief. Magnus und Tante Amelie beobachteten, wie der Flugdirektor sich fragend dem zuständigen Flugleiter zuwandte.

«Nach meinen Daten sind sie dem Plan um zwei Sekunden voraus, Flight», sagte der Mann. «Bei ihrem gegenwärtigen Tempo entspricht das gut zwei Kilometern. Ist aber weiterhin im grünen Bereich.»

Die Tür zum Flur öffnete sich, und Albert kam herein. Er fuhr zu dem Flugleiter, der sein Protokoll vergessen hatte, und reichte ihm die Papiere. Dann rollte er hinüber zu Flight, dem er etwas ins Ohr flüsterte. Die Miene des Flugdirektors verfinsterte sich zusehends. Er nickte stumm, und Albert kam zu Magnus und Tante Amelie herübcr.

«Was ist los?», flüsterte Magnus. Als erfahrener Zeitreisender hatte er einen Instinkt dafür entwickelt, wann Probleme am liebsten zuschlugen. Und dieser Moment wies alle Anzeichen einer herangaloppierenden Krise auf. Bevor Albert von dem Zwischenfall mit Dubios berichten konnte, meldete sich Buzz Aldrin zu Wort.

«Houston, Adler hier. Wir haben da ein kleines Problem mit dem Computer. Die Höhenangaben, mit denen er rechnet, passen nicht zu den Werten vom Landeradar.»

Aus Alberts Gesicht wich jede Farbe. Also hatte Dubios es wieder geschafft und trotz aller Sicherheitsvorkehrungen am Computer herummanipuliert.

«Dieser Mistkerl!», zischte er und ballte die Fäuste.

Erschrocken legte Tante Amelie ihm eine Hand auf die Schulter.

«Was ist hier los, Albert?», fragte sie.

Im gleichen Augenblick blinkte ein rotes Alarmlämpchen auf.

«Houston, wir haben hier einen Programm-Alarm», meldete Neil Armstrong. «Code 1202! Ich wiederhole: Alarm 1202!»

Zur gleichen Zeit umstellte draußen ein Dutzend Sicherheitsleute eine Lagerhalle. Fünf von ihnen liefen zur Hintertür, während die anderen an der Vorderseite mit dem großen Tor Posten bezogen. Unter ihnen Sam und Lilly.

«Ist er da drin?», fragte Sam mit leicht zittriger Stimme. Sein Chef hatte über Funk irgendetwas von einer Tür und einem abgebrochenen Schlüssel durchgegeben und dass er nicht sofort kommen konnte. Also hatte Sam als Fähnrich das Kommando. Und ihm war nicht sonderlich wohl dabei.

«Ich denke schon», antwortete Lilly. In ihren Händen piepte der kleine Empfänger. «Wenigstens sein Overall mit dem Sender ist es.»

«Dann mal los!» Sam gab zwei Männern einen Wink, und sie schoben langsam das Hallentor auf. Drinnen flackerten ein paar Neonröhren und beleuchteten Berge von ausgedienten Gerätschaften und Ersatzteilen. Ein Lautsprecher unter der hohen Decke übertrug den Funkverkehr zwischen dem Kontrollzentrum und den Astronauten. Auf ·dem ganzen Gelände gab es solche Lautsprecher, damit niemand verpasste, was dort oben am Mond gerade passierte. Lilly hörte aber nur halb hin. Ihre Aufmerksamkeit galt Dubios. Irgendwo hier musste er sich versteckt haben. *Wie gut, dass wir den Peilempfänger haben*, dachte das Mädchen.

Die Sicherheitsleute schoben sich vorsichtig in Zweierteams zwischen das Gerümpel. Nur Lilly und

Sam blieben am Eingang stehen, um Dubios den Weg abzuschneiden, falls er sich an den Männern vorbeimogeln konnte. All dies lief beinahe lautlos ab, sodass die Stimme von Neil Armstrong umso lauter zu ihnen herüberhallte.

«Code 1202! Ich wiederhole: Alarm 1202!»

Lilly stockte der Atem. Der *Adler* steckte in Schwierigkeiten. Und nur ein Mensch konnte daran schuld sein! Ihr Puls fing an, vor Zorn wie verrückt zu hämmern.

«Dubios, Sie gemeiner Drecksack!», schrie Lilly in die Halle hinein. Am liebsten wäre sie vorgestürmt und hätte alles auf den Kopf gestellt, bis sie den Fiesling gefunden und ordentlich verprügelt hätte. Doch Sam hielt sie zurück.

«Selbst, wenn er da drin sein sollte, wird er dir nicht antworten», sagte er. Lilly war das jedoch egal. Sie musste einfach ihrer Wut freien Lauf lassen.

«Was haben Sie nur angestellt, Sie Ungeheuer?», schrie sie.

Zu ihrem eigenen Erstaunen gab Dubios doch eine Antwort.

«Weniger, als ich getan hätte, wenn ihr lästigen Kröten mir nicht wieder ins Handwerk gepfuscht hättet!», brüllte er aus den Tiefen der Halle zurück.

Lilly ruckte heftig in Sams Griff, aber der Fähnrich ließ nicht locker.

«Und wofür steht Alarm 1202?», rief sie wutschnaubend.

«‹1202› teilt uns mit, dass der Computer vorübergehend überlastet ist», erklärte der zuständige Flugleiter im Kontrollzentrum, nachdem er hektisch in seinen Unterlagen geblättert hatte. «Wir können aber weitermachen, solange die Warnung nicht ständig an ist.»

«Houston, hier Adler. Was ist nun mit 1202?», hakte Neil Armstrong nach. Er wirkte ein wenig nervös. Vor allem, weil so lange keine Antwort aus dem Kontrollzentrum kam. Natürlich wusste er, dass es Abertausende Fehlermeldungen gab, die alle nur aus so unverständlichen Nummern bestanden. Niemand kannte die alle auswendig. Trotzdem lief ihnen da oben am Mond die Zeit davon.

«Sag ihnen, dass sie weiter auf GO sind», wies Flight seinen Capcom an. «Außerdem sollen sie bei den Höhenangaben dem Radargerät vertrauen und nicht dem Computer. Notfalls soll Neil die Automatik abschalten und per Hand steuern.»

«Verstanden!», meldete kurz darauf Neil Armstrong. «Gehe auf halbautomatische Steuerung. He, jetzt haben wir Alarm 1201!»

«Ist das Gleiche!», sagte sofort der Flugleiter.

«Adler, hier ist Houston», gab Capcom weiter. «Achtet nicht auf 1202 und 1201. Ihr habt nach wie vor GO für die Landung.»

«In Ordnung», bestätigte Armstrong. «Dann suche ich uns mal einen schönen Parkplatz.»

Flight rieb sich mit den Fingerspitzen die Nasenwurzel. Auch ohne Sabotage war es schwierig genug, die Männer sicher auf den Mond zu bringen. Mit diesem Computerfehler stieg der Stress jedoch fast über seine Grenzen hinaus. Er atmete tief durch. Wie hatte der Spion es nur geschafft, trotz der verschärften Kontrollen Zugriff auf den Computer zu erlangen?

Genau diese Frage stellte Lilly draußen an der Lagerhalle Dubios. Die Antwort war ein meckerndes Lachen.

«Ihr Dummköpfe habt nur die Computerräume selbst bewacht», spottete Dubios. «Keiner hat auf die Nebenräume achtgegeben. Ich hatte schon vor Wochen so etwas vorhergesehen und heimlich ein Datenkabel durch die Wand gelegt. So konnte ich in aller Ruhe vom Nebenzimmer aus in das System hacken, und niemand hat mich dabei gestört.»

Wie raffiniert!, staunte Lilly gegen ihren Willen. Und eigentlich ganz einfach!

«Wir müssen ihn weiter am Reden halten», flüsterte Sam ihr zu. «Dann ist er unaufmerksam, und die Männer finden ihn leichter, wenn er spricht.»

Lilly nickte. Die Halle war zwar groß, aber lange konnte es nicht mehr dauern, bis die Sicherheitsleute Dubios gestellt hatten.

«Warum sabotieren Sie überhaupt die Mission?», rief sie. «Ist Ihnen egal, was mit den Astronauten passiert?»

«Vollkommen egal», gestand Dubios. «Solange nur die Landung scheitert. Dafür bekomme ich nämlich von meinem Auftraggeber eine hübsche Stange Geld.»

«Und wer ist dieser Auftraggeber?», wollte Lilly wissen. Aber sie erhielt keine Antwort.

«Hältst du kleine Göre mich wirklich für so doof, dir das zu verraten?», keifte Dubios. Er wollte anscheinend noch etwas Beleidigendes hinzufügen, aber die Stimme von Neil Armstrong unterbrach ihn.

«Houston, das ist kein Landeplatz unter uns», verkündete sie über Lautsprecher. «Das ist ein Geröllfeld voller Schutt und Felsbrocken. Wir können hier nicht runtergehen. Ich versuche, ein Stück weiter zu fliegen.»

«Verstanden, Adler», hallte die Reaktion des Kontrollzentrums zu ihnen herüber. «Aber denkt dran, dass ihr nur für 60 Sekunden Reserve habt. Dann müsst ihr endgültig runter oder rauf.»

Vor ihrem inneren Auge glaubte Lilly zu sehen, wie Dubios eine schadenfrohe Fratze machte. Ihre Nasenflügel blähten sich, so zornig war sie.

Im Kontrollzentrum herrschte atemlose Spannung. Niemand wusste, was dort oben im Mondlandemodul geschah. Nur die Höhenangaben von Buzz Aldrin tönten monoton aus dem Lautsprecher.

«120 Meter ... 110 Meter ... Wir bewegen uns noch vorwärts ... 105 Meter ...»

«Ihr habt Reservetreibstoff für 40 Sekunden», informierte Capcom zwischendurch die Astronauten.

«Sch... Das wird verdammt knapp», raunte einer der Flugleiter und sprach damit aus, was alle im Raum dachten.

Flight stand still und steif wie eine Gipsstatue. Ihm war klar, dass er in dieser Phase nichts tun konnte. Alle Entscheidungen traf nun allein Neil Armstrong, der Kommandant von Apollo 11. Ob Flugdirektor oder nicht – ihm blieb nur zu warten. Und zu hoffen.

«100 Meter ... 90 Meter ... weiterhin Schub voran ...», meldete Buzz Aldrin.

«Reserve reicht 30 Sekunden», sagte jemand, aber Capcom gab die Zahl nicht weiter.

«Was machen die nur?» Magnus raufte sich die Haare. «Haben die vergessen, dass sie nicht mehr zurückkommen, wenn ihnen der Sprit ausgeht? Dass sie dann für immer und ewig auf dem Mond festsitzen? Die müssen doch endlich landen!»

«80 Meter ... 70 Meter ...»

Albert schaute sich schnell im Kontrollzentrum um. Jedem Einzelnen war die Aufregung anzusehen. Magnus stand in einer merkwürdig verkrampften Haltung, als müsse er dringend aufs Klo, und an der Tür hinge ein Schild, dass die Toilette wegen Renovierung geschlossen sei. Tante Amelie drehte ständig Haarsträhnen um ihre Finger, bis sie festhing und sich unbewusst wieder freizappelte. Ein Flugtechniker bohrte mit seinem Bleistift ein Loch nach dem anderen in seine Krawatte, während sein Nachbar Salzstangen in ein Glas mit Cola dippte und dann gedankenverloren auf den Boden fallen ließ.

«40 Meter … 35 Meter … 30 Meter …»

«Reserve für 25 Sekunden.»

«Nun mach schon!», bat Albert leise. Seine Daumen liefen blau an, so fest presste er sie.

«Hände hoch!»

Kaum war der Befehl durch das Gerümpel gehallt, erfüllte ein Donnergrollen die Luft.

«Was geht da vor?», fragte Sam überrascht.

Die Männer vom Sicherheitsdienst hatten Dubios endlich in dem Durcheinander aufgespürt und mit vorgehaltener Waffe zum Aufgeben gezwungen. Oder wenigstens war das ihre Absicht gewesen. Doch dieser Lärm passte nicht so recht zu einer ordentlichen Festnahme. Er hörte sich beinahe an wie eine Explosion. Hatte der Schuft sich etwa in die Luft gesprengt? Aber dann hätte es nur einen Knall gegeben. Das Grollen dauerte dagegen an und wurde sogar immer lauter.

«Ducken!», rief Lilly.

Gleichzeitig packte sie Sam am Arm und zog ihn zu Boden. Gerade noch rechtzeitig. Knapp über ihre Köpfe hinweg sauste ein großer, hässlicher Vogel mit brennendem Schwanz. Nein! Kein Vogel. Es war Dubios! Auf dem Rücken hatte er einen Raketenrucksack, und wie ein Blitz schoss er damit aus der Halle hinaus, über die Umzäunung des Geländes hinweg und verschwand in der Weite.

«Dreck!», schimpfte Lilly. Damit hatten sie nicht gerechnet. Offenbar hatte Dubios in seine Machenschaften einkalkuliert, dass sie ihn erwischen würden, und seine Flucht sorgfältig vorbereitet. Bestimmt lag der Raketenrucksack schon seit Wochen einsatzbereit in der Lagerhalle.

«Wir ... wir brauchen einen Hubschrauber», stammelte Sam, nachdem sein erster Schreck verklungen war.

«Das wird auch nicht viel nützen», murmelte Lilly. Bis der Hubschrauber da wäre, hätte Dubios sich längst aus dem Staub gemacht. Sobald er den Tunnel erreicht hatte, war er für die Sicherheitsleute aus dieser Zeit absolut unauffindbar. Selbst alle piependen Empfangsgeräte der ganzen Welt zusammen konnten ihn nicht in einer fremden Zeit orten.

Seit drei Sekunden war keine Meldung mehr vom Mond hereingekommen. Vier Sekunden. Fünf Sekunden. Niemand im Kontrollzentrum atmete. Keiner blinzelte. Sie alle starrten nur auf die Monitore und lauschten auf das Rauschen der Lautsprecher. Jede Sekunde wurde zu einer gefühlten Ewigkeit. Hatten Armstrong und Aldrin es geschafft? Oder waren sie auf dem Mond zerschellt? Vielleicht im Staub versunken? Nur die beiden Astronauten selbst konnten diese Frage beantworten. Oder konnten sie es nicht mehr? Das Knistern der Lautsprecher dröhnte immer drängender in den Ohren.

Mit einem Mal veränderte es sich. Wurde zu einem eher raschelnden Rauschen. Im Kontrollzentrum blieben manche Herzen für einen Augenblick stehen, andere beschleunigten ihr Schlagen zu einem Trommelwirbel.

«Houston, hier ist das Meer der Ruhe auf dem Mond», krächzte es aus den Boxen. «Der Adler ist gelandet!»

In dem folgenden Jubelschrei der Menschen im Kontrollzentrum brannten mehreren Mikrophonen die Drähtchen durch. Doch das interessierte niemanden. Der *Adler* war gelandet! Sie hatten es geschafft! Am 20. Juli 1969 um 16:18 Uhr Houston-Zeit hatte das Landemodul von Apollo 11 glücklich auf dem Mond aufgesetzt. Die Flugleiter fielen sich in die Arme. Sie hoben Magnus und Albert auf ihre Schultern, und Flight drückte überglücklich Tante Amelie spontan einen Kuss auf die Wange. Alles war gut!

Fast alles. Lilly drängte sich durch die Menge der tanzenden Männer zu Albert, Magnus und Tante Amelie. An ihrem Gesichtsausdruck konnten die Zeitreisenden schon ablesen, welchen Satz sie sagen würde.

Große Schritte
und kleine Sprünge

«Dubios hat es tatsächlich wieder geschafft abzu-
hauen!» Lilly wirkte niedergeschlagen und angriffs-
lustig zugleich. «Wir müssen sofort zum Tunnel und
ihn aufhalten!»

«Papperlapapp! Mich kriegen hier jetzt keine
zehn Raketen weg!», widersprach ihr Tante Amelie.
Wie gebannt schaute sie auf die Bildschirme, auf denen lange Zahlenkolonnen mit Daten von der Landefähre prangten.

«Aber ... Dubios ... der Tunnel ...», stammelte
Lilly. Sie mochte nicht glauben, dass ihre Ohren
eben richtig gehört hatten.

«Hast du noch den blauen Kristall?», unterbrach
Tante Amelie sie knapp.

«J...ja, hab ich», antwortete Lilly. Zur Sicherheit
tastete sie mit der Hand nach der Geheimtasche in
ihrem Rock.

«Na, also», sagte Tante Amelie. Sie riss ihren Blick
von den Monitoren los und sah Lilly lächelnd an.
«Dann brauchen wir uns keine Sorgen zu machen.
Wir holen Dubios sowieso nicht mehr ein, bevor er
den Tunnel erreicht. Und weil der Kristall in dei-

ner Tasche steckt, kann er die Verbindung zwischen den Zeiten nicht unterbrechen. Deshalb können wir ganz beruhigt noch wenigstens so lange hierbleiben, bis Armstrong ausgestiegen ist und seinen Fuß auf den Mond gesetzt hat. Schließlich sind wir genau dafür überhaupt hergekommen.»

Lilly biss sich auf die Unterlippe. Sie war sich nicht ganz sicher, was sie denken sollte. Hatte Tante Amelie recht, und sie brauchten sich nicht zu beeilen? Oder war sie einfach nur starrköpfig, wie Erwachsene es oft sind, wenn ihnen ein Vorschlag von einem Kind nicht passt?

«Es sind nur ein paar Stunden», raunte Albert ihr zu. «In unserer Gegenwart sogar Minuten. Da macht es keinen großen Unterschied, ob wir sofort oder später aufbrechen.»

Nun auch noch Albert! Lilly fühlte sich ein bisschen verraten. Sie schaute zu Magnus, mit dem sie schon so viele Zeitreiseabenteuer bestanden hatte. Er musste wissen, wie wichtig es war, Dubios endlich loszuwerden. Doch Magnus zuckte nur mit den Schultern und wiegte den Kopf hin und her. Lilly seufzte und ließ sich auf den Boden sinken. Sie zog ihre Knie an, stützte die Ellenbogen auf und legte den Kopf in die Hände. Wenn das so war und alle anderer Meinung als sie, dann konnte sie ebenso gut auch endlich ein wenig Mondlandung gucken. Immerhin war sie mehr Astronautin als ihre Freunde zusammengenommen. Denn schließlich hatte sie als

Einzige einen Teil des Astronautentrainings absolviert.

Auf dem Mond liefen währenddessen die Vorbereitungen für den ersten Spaziergang eines Menschen. Neil Armstrong und Buzz Aldrin zogen sich über ihre normalen Raumanzugsschuhe noch spezielle Mondschuhe mit dickem Profil und setzten die großen Rucksäcke auf, in denen ihr Sauerstoff zum Atmen und die Technik zum Überleben als «Miniraumschiff» steckten. Sogar an eine eigene Klimaanlage hatte die NASA gedacht, damit die Astronauten nicht von der Sonne wie in einem Backofen gegart wurden. Zum Schluss stülpten sie noch die Helme über und zogen die Handschuhe an. Fertig!

«Hoffentlich juckt nicht wieder jemandem die Nase», kommentierte Lilly, die sich an ihren Ausflug zum Kennedy Space Center erinnerte. Unwillkürlich fing Magnus' Nase an zu kribbeln.

Als Nächstes schalteten die Astronauten ein Ventil um, und die Luft aus dem *Adler* zischte in den Weltraum. Erst danach ließ sich die Luke öffnen. Neil Armstrong, der als Erster aussteigen wollte, ging auf die Knie. In seinem dicken weißen Anzug sah er aus wie ein Eisbär, dem alle Haare abstanden. Aber nur so konnte er langsam rückwärts durch die Luke kriechen.

«Mehr nach links!», hörten sie die Tipps von Buzz Aldrin. «Und den Kopf weiter runter!»

Glücklich im Freien angelangt, saß Armstrong auf einer kleinen Plattform, etwa in der Mitte des Landemoduls. Er zog an einem Ring und löste so einen Klappmechanismus aus, der eine kleine Fernsehkamera freigab.

«Adler, hier ist Houston», sagte der Capcom, als ihr Bild über die Monitore im Kontrollzentrum flackerte. «Wir können dich jetzt sehen, Neil!» In Schwarz-Weiß und ein wenig unscharf, aber immerhin live vom Mond.

Neil Armstrong begann, eine Leiter hinabzuklettern. Doch bevor er unten ankam, tapste sein Fuß ins Leere. Die Leiter hörte etwa einen Meter über dem Boden auf.

«Sie ist zu kurz», stellte der Astronaut erstaunt fest.

Magnus schüttelte verständnislos den Kopf. «Wer hat denn das konstruiert?», zischte er. Hätten Phil Screwer und er gemeinsam die Leiter gebastelt, wäre sie jedenfalls garantiert passend gewesen. So aber entschloss Neil Armstrong sich, das restliche Stück einfach hinabzuhüpfen. Sein kleiner Sprung endete auf einem der Landebeine des *Adlers*.

«Nun bin ich am Ende der Leiter. Der Boden sieht ziemlich staubig aus, fast wie Puder», funkte er zur Erde. «Ich verlasse jetzt das Landemodul.»

Lilly reckte den Kopf. Dies war der entscheidende Moment – und sie war froh, dass sie nun doch dabei zuschauen konnte. Albert hielt zum wiederholten Mal an diesem Tag die Luft an. Auf den Bildschirmen konnten sie deutlich erkennen, wie Neil Armstrong sich nach links drehte, den linken Fuß anhob ... und ihn vorsichtig auf den Mondboden setzte.

«Das ist ein kleiner Schritt für Menschen», sagte er, machte eine kurze Pause und fuhr dann fort, «... ein großer Sprung für die Menschheit.»

Die Männer im Kontrollraum applaudierten. Manche stießen Jauchzer aus. Albert meinte zu sehen, wie Tante Amelie sich heimlich eine Träne aus dem Augenwinkel wischte. Nur Lilly machte ein komisches Gesicht.

«Hä? Heißt es nicht ‹für *einen* Menschen›?», wunderte sie sich. Sie ruckelte an ihrem Ohr, weil sie glaubte, der Universalübersetzer sei vielleicht verrutscht.

«Ja, du hast recht. Das wollte Neil Armstrong auch eigentlich sagen», bestätigte Albert, der im Internet einen ganzen Artikel über diesen Versprecher gelesen hatte. «Aber in der Aufregung hat er das kleine Wörtchen ‹einen› eben aus Versehen verschluckt.»

«Mann, wenn ich jetzt da oben wäre, würde ich noch ganz andere Dinge verschlucken», gab Magnus zu.

«In Ordnung», sagte Tante Amelie leise, und ihre Stimme klang seltsam weich. «Das wollte ich unbedingt miterleben. Gleich kommt noch Buzz Aldrin heraus, und dann laufen die beiden ein wenig auf dem Mond herum, sammeln Steine und sind happy. Davon gibt es massig Filmchen im Internet.» Sie holte tief Luft. «Was denkt ihr – ist es für uns an der Zeit zu gehen?»

Die Kinder nickten schweigend.

«Ich sag nur schnell Flight Bescheid», meinte Albert. «Die anderen sind alle zu beschäftigt, die sollten wir nicht stören.»

Er rollte hinüber zum Flugdirektor und zog ihn zu sich herunter.

Lilly, Magnus und Tante Amelie sahen, wie Flight Albert anerkennend auf die Schulter klopfte. Dann schlichen sie sich leise aus dem Kontrollraum und verließen mit dem Leihwagen, in dem sie gekommen waren, das Raumfahrtzentrum.

Im Gästehaus räumten die Zeitreisenden schnell auf und hinterließen eine Botschaft für Michael Collins und seine Familie sowie eine Notiz für Phil Screwer. Persönlich konnten sie sich momentan schlecht von den Astronauten verabschieden, und ihre Frauen und Kinder waren verständlicherweise mit ganz anderen Sachen beschäftigt.

Den Weg zum Tunnel gingen sie dann zu Fuß. Merlin ließ sich von Tante Amelie auf der Schulter tragen. Es war beinahe Mitternacht, und die kühle Luft tat ihnen gut nach den Anstrengungen des Tages. Außer ihnen war kaum eine Menschenseele unterwegs, alle hingen gebannt vor ihren Fernsehern. Nur vor den Häusern der Astronautenfamilien drängten sich die Wagen der Journalisten und TV-Teams.

«Ich wette, die haben in den kommenden Wochen keine ruhige Minute», überlegte Albert. Sein A-Mobil surrte leise im Elektromodus. «Bestimmt lauern ihnen jetzt ständig solche Typen auf wie dieser Robert Pencil.»

«Wo wir gerade über Plagegeister reden ...» Lilly hob den Finger zum Zeichen, dass sie auf etwas aufmerksam machen wollte. Es war ein Bellen, das langsam lauter wurde. «Ich glaube, Linus möchte uns zum Abschied in die Beine beißen.»

«Hat der denn von dem letzten Schuss aus meiner Pfefferpistole noch nicht genug?», fragte Albert genervt. Er drehte sein A-Mobil in Abwehrstellung. Aber bevor er den heranpreschenden Hund ins Visier nehmen konnte, ertönten aus dem Dunkel mehrere Pfiffe. Augenblicklich machte Linus kehrt und stürmte auf eine Gestalt zu, die im schwarzen Schatten eines Baumes stand.

«Hast du kleiner Racker unsere lieben Freunde entdeckt?», sprach die Gestalt und kraulte den Hund lobend hinter den Ohren. Dann richtete sie sich auf und schritt auf Tante Amelie und die Kinder zu. Linus tollte ausgelassen um ihre Füße.

«Uns bleibt wohl auch nichts erspart», stöhnte Magnus. «Es ist Robert Pencil! Die beiden Schrecken der Stadt haben sich verbündet!»

«Und das verdanken wir ganz euch!», strahlte der Reporter ihn an. Er griff die Finger der leicht verdutzten Tante Amelie und verpasste ihr galant einen Handkuss. «Schließlich haben wir uns gefunden, während wir gemeinsam in den verschiedenen Gebüschen der NASA-Anwesen gehockt und euch aufgelauert haben.»

«Und seitdem tyrannisieren Sie die Astronautenfamilien im Team?», fragte Lilly verächtlich.

«Nein, nein!», wehrte Robert Pencil ab. «Seit ich Linus habe, interessiert mich die Raumfahrt nicht mehr. Ich schreibe jetzt über andere Themen: Haustierhaltung und das Zusammenleben mit unseren vierbeinigen Freunden.» Wie zur Bestätigung bellte Linus drei Mal und machte Männchen. «Ist er nicht schnuckelig?», rief Robert Pencil begeistert aus. «Und so gelehrig.» Er lächelte die Kinder schmalzig-süß an. «Also nochmals vielen Dank! Mit eurer Hilfe bin ich ein anderer Mensch geworden!»

Der Reporter winkte ihnen neckisch zu, und Hund und Herrchen schlenderten vergnügt in eine Nebenstraße.

«Und ich dachte schon, die Mondlandung heute wäre eine Sensation», sagte Albert.

«Na, wenigstens sind die beiden anscheinend glücklich miteinander», stellte Tante Amelie fest.

«Vor allem lassen sie die Kinder und die Familien der Astronauten in Ruhe.» Doch weil sie es selbst kaum glauben konnte, rieb Lilly sich kräftig die Augen und schaute noch einmal ganz genau hin, wie Robert Pencil und Linus allmählich im Dunkel der Nacht verschwanden.

Zwei Stunden später schaufelte sie sich ihre zweite Portion Vanilleeis mit Schokosoße in den Mund. Tante Amelie und die Kinder saßen in der Villa am Küchentisch, die Verbindung zur Vergangenheit hatten sie mit dem blauen Kristall geschlossen, und sie unterhielten sich über die einzelnen Stationen ihres Abenteuers.

«Auch wenn alles gut ausgegangen ist, sind ein paar Fragen noch offen», meinte Tante Amelie und kratzte den letzten Rest Pistazieneis aus der Packung. «Zum Beispiel würde mich interessieren, warum Neil Armstrong in aller Ruhe so lange nach einem Landeplatz gesucht hat, obwohl der Treibstoff knapp war. Das hätte leicht schiefgehen können. Hat der Mensch etwa keine Nerven?»

«Daran bin ich schuld», druckste Albert und schaute auf die Tischdecke, als ob er die Marmeladenflecken auf ihr zählen wollte. «Bei der einen Besprechung habe ich nicht richtig aufgepasst, und Neil Armstrong hat meine Ausdrucke aus dem Internet gesehen. So hat er den Verdacht geschöpft, dass ich aus der Zukunft sein könnte ...»

«Waaas?», rief Lilly. Sie prustete ihm entgeistert kleine Tröpfchen Schokosoße ins Gesicht. «Aber du hast es natürlich abgestritten!»

Albert versuchte ein besänftigendes Grinsen. Es misslang.

«Hast du nicht?» Lilly schnappte empört nach Luft.

«Ich war irgendwie überrumpelt», gestand Albert. «Und dann wollte er ja nur eine Sache wissen ...»

«Und was war das?», hakte nun Magnus nach, bevor Lilly sich noch mehr aufregen konnte.

«Ob sie gesund und heil wieder zurückkommen», antwortete Albert. «Da habe ich eben ‹Ja› gesagt. Mehr nicht.»

«Puh, das geht ja noch», beruhigte sich Lilly. Sie widmete sich erleichtert wieder ihrem Eis.

«Mich würde interessieren, wie es Sam Clemens geht», sagte Tante Amelie. «Vermutlich stolpert er gerade über seine eigenen Füße, oder?»

«Nö, glaub ich nicht», widersprach Lilly. «Nachdem uns Dubios entwischt ist, hat Sam sich ziemlich darüber geärgert, weil er ja das Kommando hatte. Er war fest entschlossen, den Kram mit der Sicherheit und der Uniform hinzuschmeißen. Ab sofort will er Bücher schreiben. Da kann man höchstens mit den Fingern in den Tasten der Schreibmaschine stecken bleiben, meinte er.» Tante Amelie und die Kinder lachten bei der Vorstellung.

«Mir ist auch etwas aufgefallen», verkündete Albert. «Nämlich, dass Neil Armstrong am 20. Juli 1969 um 22:56 Uhr seinen ersten Schritt auf den Mond gemacht hat. Du hast aber gesagt, es wäre an deinem Geburtstag gewesen, Tante Amelie. Und der ist am 21. Juli. Bist du also im Kalender verrutscht?»

«Nein, junger Mann, das passt beides zusammen», erwiderte Tante Amelie, womit sie sich ungläubige Blicke der Kinder einhandelte. «Ihr vergesst, dass die Erde sich dreht! Deshalb ist es in Europa immer schon ein paar Stunden später als in Amerika. Und weil ich in Deutschland geboren wurde, war hier bereits der 21. Juli, und zwar genau 3:56 Uhr, als Neil seinen kleinen Schritt und den großen Sprung gewagt hat.»

«Ach so!», stöhnte Albert. Darauf hätte er auch selbst kommen können, dachte er.

«Jetzt ist meine Frage dran!», drängte Lilly. Sie machte ein ernstes Gesicht. «Als wir zurück in der Villa waren, hatte Dubios sich schon aus dem Staub gemacht. Er läuft also immer noch frei herum, und gibt bestimmt nicht auf, bis er den Tunnel unter seiner Kontrolle hat.» Sie schaute ihre Freunde an. «Werden wir den Kerl irgendwann mal endgültig los?»

Die vier schwiegen. Keiner von ihnen hatte eine Antwort parat. Aber jeder wusste, dass die Zeitreisen durch Dubios noch weit gefährlicher wurden, als sie sowieso schon waren. Und dass sie sich trotzdem nicht davon abschrecken lassen würden. Das meinte auch Merlin, der kräftig seine Flügel streckte – zum Zeichen, wie sehr er sich schon darauf freute, beim nächsten Abenteuer wieder als fliegender Bote durch die Lüfte und die Zeiten zu sausen.

SPIELANLEITUNG

Das brauchst du:

mindestens einen Mitspieler
möglichst viele Sammelkarten zum «Geheimen Tunnel»

So geht es:

1. Sucht die Karten «Erfindungen und Entdeckungen» und «Historische Transportmittel» heraus, mischt sie und legt den Stapel mit der Rückseite nach oben in die Mitte.

2. Die übrigen Karten werden auch gemischt und gleichmäßig an alle Mitspieler verteilt. Karten, die übrig bleiben, legt ihr zur Seite.

3. Der kleinste Spieler fängt die erste Runde an. Er dreht die oberste Karte vom Stapel in der Mitte um.

4. Dann geht es im Uhrzeigersinn weiter. Der Reihe nach legt jeder Spieler eine beliebige seiner Karten ab und versucht, die Karte in der Mitte zu erobern.

Dabei gelten folgende Regeln:

1. Wer **die älteste «Historische Persönlichkeit»** ablegt, bekommt die Karte. Sind mehrere historische Persönlichkeiten im gleichen Jahr geboren, gewinnt **die zuerst gelegte Karte.**

- Ausnahme: Jemand spielt **eine «Hauptfigur»** aus. Dann erhält der Spieler die Karte, der **in dieser Runde zuletzt** eine «Hauptfigur» abgelegt hat.

2. Hat jeder Spieler eine Karte ausgespielt, erhält der Sieger der Runde die Karte aus der Mitte und legt sie vor sich hin. Die ausgespielten Karten legt ihr zur Seite.

3. Nun zieht jeder Spieler bei seinem rechten Nachbarn, ohne hinzusehen, eine Karte und steckt sie zu seinen eigenen Karten in die Hand.

4. Es beginnt die nächste Runde. Gewonnen hat, wer am Ende die meisten «Erfindungen und Entdeckungen» und «Historische Transportmittel» erobern konnte.

Olaf Fritsche ist eine unverbesserlich neugierige Lese- und Schreibratte. Weil er Biologie studiert hat und sich auch in Chemie und Physik ganz gut auskennt, erklärt er in seinen Artikeln und Büchern, wie die Natur funktioniert. Aber noch lieber denkt er sich spannende und rätselhafte Geschichten aus. Im Rowohlt Taschenbuch Verlag schreibt er Abenteuer- und Wissensbücher für kleine und große Leser.